낚시 바구니 속의 비탄

「봄비의 책」 4

자연 다큐 소설

낚시 바구니 속의 비탄

김봉철 지음

도서출판 새한

차례

책 머리에 ······ 05

농촌에서 나서 자연 속에서 자란 나는 어릴 때부터 특별히 봄에는 물채워둔 논에 겨울을 지세우고 나와서 먹이를 찾아 헤메이는 논우렁이를 세숫대야에 가득 주어담는 일이 그렇게 즐거워서 겨울철 내내 봄이 오기를 기다렸다.

여름에는 논 귀퉁이에 논에 물을 공급 하기위하여 파서 물을 채워두는 방죽에 많지는 않았지만 작은 붕어가 살고 있어서 낚시를 좋아하는 어른들이 심심풀이로 통대나무를 잘라서 곧게 잡은 작은 낚시대(약 1.5m~2m정도)를 만들어서 낚시를 사다가 명주실에 묶고 어디서 구했는지 작은 납덩이를 묶어 끼고 미끼는 볶은 밀을 맷돌에 갈아서 체로 받친 고운 가루를 물에 잘 버무려 쓰고 시골에 흔한 지렁이를 잡아서 썼다.

해마다 논 귀퉁이의 방죽은 논에 물을 대기위하여 두레 (함지박)로 물을 다 퍼내면 1년동안 흙으로 메워진 방죽 바닥의 보수작업 때문에 흙을 삽으로 퍼내는데 이때에 논에서 자라면서 안정된 주거지로 알고 모여든 큼직큼직한 미꾸라지가 흙과 함께 밖에 던지워져서 모처럼 마을 처녀들이 세숫대야에 주어 담아 가는데 지금처럼 추어탕을 끓여 먹을줄은 몰랐고 불에 (부엌 밥솥 밑) 소금을 찍어 먹었다.

그러니 방죽 속의 붕어가 클수가 없고 기껏 큰것이라야 12~3cm 정도가 10~15마리 정도가 잡힌다.

농촌이고 가난한 시절이어서 종일 낚시를 할 여유도 없고 잡을 고기도 없어서 그 정도라면 매운탕을 끓여 먹을 수 있기 때문에 기쁜 마음으로 집으로 가는 것이다.

이처럼 낚시하는 모습을 보는 어린 마음은 한없이 부럽고도 호기심이 차 올랐다.

"나도 한번 잡아 보려니" 하고 마음 먹어보아도 오늘처럼 낚시 점포가 흔전만전 하지않고 내가 살던 시골 마을에서 4km 떨어져있는 이리 (지금 익산) 시장 가까운 곳에 있어서 가기가 힘들고 더욱 어려운 것은 낚시를 살 돈이 있을리 없다.

그래서 생각하다가 곡식에서 흙과 작은 모래를 걸러내는 얽게미 바닥이 가는 철사로 엮어서 만든 것을 알고 있으므로 못으로 애써서 철사 한 올을 끊어내어서 낚시만큼 길이로 잘라내서 작은 낚시를 만들고 실을 꿸 수 있게 구멍을 만들고 거기에 어머니의 바느질 실을 묶고 떡밥은 생각할 수 없고 지렁이는 더럽게 징그럽게 생겨서 손도 못대고 보리밥 그릇속에 몇알 담긴 쌀알을 헤집고 찾아내어서 겨우 10여 알을 문풍지로 바른 백지종이를 조금 찢어서 싸고 빈 작은 깡통을 구해가지고 흐뭇하고 기쁜 마음으로 그 논 귀퉁이의 방죽으로 기세 당당하게 달려가면 어떻게 알았는지 마을의 꼬마아이들이 호기심에 뒤따라 오는 것이다.

이렇게 하여 그 우스꽝스런 낚시 도구의 철사로 만든 낚시에 밥풀 하나를 단단히 꿰어서 방죽 물속에 내리면 지금은 멸종(농약 과다 투여가 원인)된 송사리가 그렇게도 많았는데 그 우스꽝스럽게 만든 철사 낚시의 밥풀을 작은 입으로 물고 삼키니까 들어올리면 중간에 떨어지기도 하지만 거의 잡히게 되어 작은 깡통 바구니에 물을 채워서 담다보면 쌀밥알 10여 개로 10~15 마리의 송사리를 잡게 되어서 기쁘고 자랑스럽게 집으로 아이들을 거느리고 오면 나의 부모님은 반갑게 맞이하고 칭찬하기는커녕 "그런걸 뭘 하려고 잡아 오는거냐! 갖다 버려라"고 꾸중을 하여 대실망하면서 버리려고 가다보면 다 죽어서 그냥 길가에 버리고 오면서도 포기하지 않고 또 낚시하러 가던 것이 내가 낚시를 즐기게 된 첫 걸음이었다.

낚시 도구가 없기 때문에 작은 대나무를 끊어서 바느질실에 낚시를 2~3개 사서 하나를 묶어서 가까운 곳에 저수지가 있었는데도 사람들이 낚시 하지 않아서 이제는 논 귀퉁이 방죽보다는 십리길이 더되는 이리 시내를 지나서 농업용수의 냇가를 찾아가서 그 위험한 냇둑에 혼자서 종일 고기 한 마리도 잡지 못하는 낚시를 한다고 부모님께 꾸중을 들으면서도 초등학교 시절에는 1년에 2~3번씩 농업용수 냇가를 다녀왔다.

그러다가 6.25동란으로 우리 집 가족의 생활을 이끌어오던 두 형들이 군에 입대하여 생명은 잃지 않고 몸에 병을 얻어서 제대하여 돌아왔고 형들이 없는 기간에 소년 가장으로 가족의 생계를 이어가느라고 많은 고생을 하는 일은 끝났다.

그 후에 그간 하지 못한 공부를 했고 일터에 가서 일도 하다가 군에 입대해야할 나이가 되어서 육군에 입대했고 만기 제대 하기까지 대전 63 육군병원에서 근무하면서 야간 신학교를 다녔고 제대 후에 바로 교회의 부름으로 하나님의 강권적인 인도로 시골의 작은 교회에서 목회를 시작하게 되었다.

이런 일로 그처럼 즐기던 낚시와 거리가 멀어지게 되었고 40년의 목회를 은퇴하고서야 내가 가장 좋아하는 낚시 도구도 값 나가지 않는 것으로 준비하고 정상적인 낚시의 방법도 기술도 전혀 모르는 체 남들이 하는 것을 보며 흉내 내면서 완전히 아마추어 낚시꾼으로 본격적인 낚시를 시작하면서 오랜 세월 동안 낚시를 해오면서 능숙하게 고기를 잡아내는 낚시 선배들에게 묻고 배워서 20여 년의 세월동안 건강에 이상 징조가 생기면 차에 낚시도구를 싣고 저수지로 농업용수를 공급하는 시내 강변으로 가서 몸과 마음의 건강을 살피면서 글을 쓰는 사람으로서 낚시를 던져놓고 맑은 공기와 햇빛아래서 맑은 정신으로 문학작품(동화, 시, 수필, 소설 등)의 내용을 구상하고 작품으로 남기면서 금번에 출판하게 된 "낚시 바구니 속의 비탄"의 작품도 처음 작품으로 낚시에 꿰어 올라오는 고기의 모습과 고기 바구니 속의 고기들의 모습과 물속에서 대기 중인 물고기들의 이야기를 자연 다큐소설형식으로 써본 것이다.

프로급 전문인들이 썼다면 훨씬 실감이 나고 더 재미있었으리라고 생각되지만 아직 그냥 낚시를 좋아하는 서투른 아마추어가 쓴 글이어서 미숙하고 불완전 하리라 생각되지만 그냥 낚시를 너무 좋아하는 서툰 낚시 동호인의 글이라 생각하고 읽어주시고 지도해 주시기 바랍니다.

끝으로 이 작은 책이 출판되기까지 바쁜 중에도 원고 정리에 애써준 나의 아우 유관상, 사랑하는 딸 김혜진, 그리고 원고 교정에 수고한 아우 목사 김남식, 도서출판 새한 민병문 사장님께 고마움을 전한다.

2022년 여름을 맞이하며
저 자

자연 다큐 소설

낚시 바구니속의 비탄

낚시 바구니 속의 비탄

꽤 넓은 농업용수를 공급하는 농어촌진흥공사의 저수지는 손맛을 즐겁게 느끼게 하는 크고 작은 물고기들이 꽤 많은 곳이어서 언제나 많은 낚시꾼들이 모여드는 곳이고 하루의 수확이 만족하리만큼 많이 잡히는 곳이다.

어느 늦은 봄날, 한 낚시꾼이 즐겁게 낚아서 연속 고기 바구니에 낚은 고기들을 던져 넣고 있었는데 붕어가 주종을 이루고 있었다. 고기 바구니에 던져진 고기들은 깊은 한숨을 쉬고 있었고 성질 급한 붕어는 고래고래 소리 지르며 이리 뛰고 저리 뛰다가 지치면 흐르는 눈물을 훔치며 조용히 탄식에 잠기곤 하였다.

수컷과 암컷이며 크고 작은 고기들이 어떻게 이 난관을 극복하고 탈출할 것인가의 방법에 대하여 진지하게 이야기를 하고 있는 자리에 또 한 마리의 작은 붕어가 낚시에 걸려서 고기 바구니에 던져지는데 바구니에 담겨진 그 젊은 붕어가 헐떡이며 하는 말이 "아! 살았다. 하마터면 죽을 번했다"고 하는 것이다.

이 말을 들은 고기바구니 속에서 수장이 되는 듯 한 붕어가 젊은 붕어를 향하여 "너 지금 뭐라고 말했니?"라고 물었다.

금방 잡혀온 젊은 붕어가 대답했다. "낚시에 입천장을 꿰어 잡히면서 '이제는 죽었구나!' 라고 생각하며 절망 중에 끌려올라 왔는데 낚시 바늘을 빼내고 물에 던져진 것이 아니겠어요? 그래서 너무 기뻐서 아! 살았구나! 꼭 죽는줄 알았다고 말했어요." "그런데 여기가 어디예요? 오늘 모인다던 우리 마을 회의를 여기서 모이는건가요?"

수장이 되는 듯한 나이든 붕어가 대답했다. "여기가 어디긴 어디야, 낚시꾼이 우리를 잡아 가둔 고기 바구니잖니? 차라리 마을 회의를 모인 자리라면 행복하겠다. 우리 마을의 고기들이 너와 똑같이 낚시에 걸려 잡혀 들어온 것이란다."

이제 방금 잡혀 들어온 젊은 붕어가 낙심 천만해하며 다시 묻는다. "그럼, 우리는 앞으로 어떻게 되는 건가요?"

수장되는 붕어가 깊은 한숨을 쉬면서 대답한다. "어떻게 되기는 어떻게 되겠니? 낚시꾼에게 잡혔으니 우리는 다 죽게 된 것이란다."

이 말을 들은 젊은 붕어는 이해가 되지 않는 듯이 수장되는 붕어에게 묻는다. "아저씨, 우리가 죽어야 할 이유가 무엇입니까? 우리가 무슨 죽을 일을 했기에 죽는다고 하는 것입니까?"

수장되는 붕어가 대답했다. "우리 모두는 죽어야 할 잘못을 범한 것이다. 낚시꾼이 우리를 잡아가려고 지렁이랑 떡밥이랑 꿰어 던져 놓은줄 알면서도 우리가 순간적인 유혹에 빠져 그 작은 먹잇감을 따 먹으려고 했으니 미련한 짓을 한 우리는 낚시꾼의 반찬거리가 되고 만 것이다."

이야기를 마치고 눈물을 씻고 있다.

갓 잡혀온 젊은 붕어가 분한 듯이 소리쳤다. "사람들의 말을 들으니 사람들의 사는 세상에는 이런 말이 있다고 들었습니다. '호랑이에게 물려가도 정신만 차리면 산다.'라고요. 이렇게 억울하고 분하게 죽기만을 기다리고 있을 것입니까? 어디 살아날 방법을 찾아야 할 것 아닙니까?"

이 말을 들은 수장 붕어가 말했다. "너 뿐만 아니라 우리 모두가 다 죽기를 기다리는 이는 없단다. 살아 돌아 갈 수 있는 길이 어디에 있겠니?"

젊은 붕어가 잠깐 생각에 잠겨 있다가 자신 있는 소리로 말했다. "우리가 힘을 모아서 이 고기 망을 우리의 이빨로 자르면 될 것 아닙니까? 제 아무리 튼튼한 끈으로 만들었다 지만 세상 사람들의 말이 열 번 찍어 안 넘어 가는 나무는 없다잖아요? 좀 힘이 들고 시간이 걸릴지 모르나 계속 물어뜯으면 잘라질게 아니겠어요?"

수장되는 붕어가 탄식하며 말한다. "너는 아직 젊어서 잘 모르지만 오래 살아온 우리의 경험에 비추어 보면 그것은 너무나 무모한 헛수고라고 하는 것을 알아라."

젊은 붕어는 수장되는 붕어의 말을 이해할 수 없다는 듯이 반문한다. "아니, 해보지도 않고 포기할 수는 없잖아요?"

젊은 붕어의 경험 미숙에서 하는 말이어서 탓할 수가 없었다.

이에 젊은 붕어가 "에잇, 내가 한번 해볼게요!"라고 말하고 고기망을 그 튼튼해 보이는 이빨로 힘차게 물고는 "에잇!"하고 힘을 주는 것 까지는 좋았는데 그 후에 "아구구구, 내 이빨이 다 부러졌네. 아이고 아파라!"라고 물러선다.

이에 수장되는 붕어가 말을 한다. "우리 중 누군들 살아가고 싶지 않은 붕어가 있겠니? 그러나 한번 잡히면 살아나갈 길이 거의 없음을 알고 분하고 억울하지만 잘 참고 우리의 운명의 시간을 서럽지만 기다리는 거지. 조용히 기다리자."

이때 나이가 좀 지긋해 보이는 붕어가 입을 열었다. "비록 실패는 했지만 저 젊은이의 말을 듣고 보니 우리가 그냥 죽을 시간만 막연히 기다릴 것이 아니라 바늘구멍이 아무리 작을 지라도 불가능하게 보이는 실이 꿰어지듯이 작은 틈이라도 살아나갈 방도를 찾아보는 게 현명한 일인 것 같습니다. 우리가 다 죽기를 기다릴 것이 아니라 하나라도 살아갈 수 있는 길을 찾아야 겠습니다."

이 말을 듣고 있던 같은 또래의 붕어가 말을 이었다. "내가 보니까 우리가 갇혀 있는 고기망이 물속에 깊이 잠겨있고 그 고기망 입구가 넓고 물에서 낮으니까 여기서 먼저 힘이 있고 뜀뛰기 훈련을 받은 젊은이들이 힘껏 뛰어서 탈출할 수 있도록 시도해 보면 어떨까요?"

이 말을 들은 고기 망 속의 붕어들은 희망이 보이고 새 힘이 솟는 듯 기뻐했다. 수장되는 붕어가 그 마을에서 뜀뛰기 선수로 선발되어 활동한 젊은이를 불렀다. "그 말이 맞다. 우리 전부가 죽기에는 너무 억울하다. 우리 나이에 든 이들은 많이 살았으니 죽어도 덜 억울 하지만 장래가 촉망되는 젊은이들은 하나라도 더 살아나가서 낚시꾼에게 속지 말라고 열심히 홍보해서 우리 마을의 어족 보호에 힘을 쏟아 주기 바란다. 그런 의미에서 너는 그간 갈고 닦은 실력으로 힘을 다하여 뛰어서 고기 망을 탈출하여 살아 나가라."

이 말을 들은 뜀뛰기 선수 붕어는 기뻐하면서도 실수 할 것이 겁이 나서 망설이는 것이다. 이를 본 어족들이 격려한다. "어서 뛰어 봐. 자! 우리가 뛸 수 있도록 비켜줄게!"라고 격려한다.

선수 붕어는 좀 자신은 없지만 마음을 단단히 먹고 뛸 준비를 했다. 그러면서 자기를 격려하는 마을 어족들에게 감사하다고 눈물 지으며 인사 하고는 "제가 먼저 탈출에 성공하거든 계속 뒤를 이어서 뛰어 탈출하여 기쁨으로 만나서 우리 마을 어족보호에 힘을 다 합시다!"

말을 마치고는 힘차게 달려가서 죽을 힘을 다하여 뛰었다. 결과는 성공이었다. 고기 망 안에 있던 붕어들은 입을 모아 함성을 지르며 야단들이었다.

수장되는 붕어가 감격하며 말했다. "마침 우리를 잡은 낚시꾼이 용변을 보러 간 것 같으니 이 기회를 놓치지 말고 계속해서 뛰어나가 살 길을 찾아라!"

이 말에 서로 뛰어 나가려고 야단들이었다. 수장되는 붕어가 말했다. "이렇게 무질서 하게 혼란하면 될 일도 안 되는 것입니다. 질서를 잘 지켜서 순서대로 뛰어서 탈출 합시다!"

그러나 서로 살고 싶어서 혼란은 쉽사리 가라앉지 않고 여기서도 저기서도 뛰었으나 뛸 수 있는 거리가 확보 되지 않아서 많은 실패를 하는 중에 대여섯 마리가 탈출에 성공하여 살아나갔다. 이제는 젊은 붕어만 아니라 늙은 붕어, 어린 붕어도 앞을 다투어 뛰느라고 혼란하였으나 성공률이 좋지 못했다.

이때에 용변을 보고서 낚시터로 돌아 온 낚시꾼이 고기 바구니 안에서 뛰는 고기들을 보고 깜짝 놀라서 고기바구니를 들여다 보더니 "앗! 고기 바구니를 잘못 관리해서 많이 나갔구나!" 라고 탄식하면서 고기 바구니를 걸어놓은 대로 높이 올려서 뛰어 나가지 못하게 하고는 계속 낚시를 했다.

살아 나 갈 수 있다고 기뻐하며 들떠있던 고기 바구니 속의 고기들은 깊은 한숨과 탄식을 하며 어떤 고기는 엉엉 울고 있었다.

같이 탄식하고 낙심중에 있던 수장되는 붕어가 말했다. "그러니까 내가 무어라고 말했나? 질서를 지키며 순서에 따라서 행동했으면 몇은 더 살아 나 갔을 것이 아닌가? 이제 이 방법으로는 탈출이 불가능 해졌으니 최선의 다른 방법을 찾아야 할 줄 아네!"

이 말을 들은 나이 진득한 붕어가 제안했다. "어차피 죽을 운명인 우리는 최대한 방법과 기회를 찾아서 하나라도 더 살아나갈 수 있는 길을 찾아봅시다. 우리에게는 창조주께서 우리에게만 주신 어유(魚油)가 있지 않습니까? 낚시꾼의 손에 들려지는 기회가 되면 우리 몸에 있는 기름을 몸 밖으로 최대한 방출하고 있는 힘을 다해서 펄떡거리면서 빠져 나가야 합니다."

이때에 낚시꾼의 손에서 커다란 붕어가 잡혀서 고기 바구니에 또 담겨진다.

절망 속에서의 대화

고기 바구니 속에 있던 고기들은 모두가 놀랍고 슬퍼서 울고불고 뛰면서 난리법석이다.

수장되는 붕어가 슬픈 소리로 갖 들어온 큰 붕어에게 묻는다. "아니 우리 마을 이장이 이 어찌된 일인가? 이장까지 잡혀오면 우리 마을 일은 누가 돌보라고 이러는가?"라고 말하곤 말을 잇지 못한다.

갓 잡혀온 이장 붕어는 절망감과 놀라움에 그 큰 눈을 크게 뜨고 말을 못 하고 한참동안 바라보고 있다가 조용히 입을 열었다.

"아이고 벌써 많이들 잡혀 왔군요! 오늘은 토요일이어서 낚시꾼들이 많이 몰려 올 것이고 어느 정보에 의하면 이날 낚시 대회가 있다는 말을 듣고서 우리 마을의 어족들의 생명을 돌아보아야할 책임자로서 낚시터를 돌아보니 이른 새벽부터 낚시꾼들이 몰려오고 있는 것을 보고 온 마을을 뛰어 다니며 오늘은 토요일이고 그리고 낚시 대회가 있다고 하니 아무리 배가 고프고 달콤한 냄새가 풍겨 와도 우리의 생명을 보전하기 위하여 절대로 낚시 바늘 가까이 가지 말고 조심해서 우리 마을 어족을 보호하여 마을의 무너짐을 면하고 우리의 생명을 잃지 말자고 고래고래 소리 지르며 뛰어 다녔습니다."

이때 한 젊은 붕어가 이장의 말을 중단하고 끼어들었다.

"저도 이장님의 그 애처로운 소리를 들었으면서도 그 미칠 것 같은 떡밥의 향기의 유혹에 그만 잡혀 들어왔습니다. 이장님 죄송합니다. 그런데 이장님은 그렇게 잘 아시면서도 불행하게 잡혀 들어왔습니까?"

이장 붕어가 긴 한숨을 내쉬고는 이야기를 시작했다. "내가 아침부터 물 밖을 내다보니 다른 날 보다 낚시꾼들이 엄청 몰려오는 것을 보고 오늘 잘못하면 우리 마을의 어족들이 많이 잡혀 가겠구나! 생각이 드니까 정신이 없었다네. 그래서 하나라도 희생을 막을 생각으로 우리 저수지 마을을 다섯 바퀴나 돌면서 있는 힘을 다하여 오늘은 특별히 조심하여 생명을 잃는 일이 없도록 하라고 소리 지르며 뛰어 다녔다네!"

이장 붕어는 잠시 가쁜 숨을 고른 후에 다시 말을 이어갔다. "아침밥도 먹지 못하고 그 넓은 우리 저수지 마을의 구석구석 까지 뛰어 다니며 당부를 하다 보니 이제는 온몸이 맥이 풀리고 기운이 다 빠지고 배가 너무 고파서 말이 안 나와 바닥에 풀썩 앉아있는데 어디서 처음 맡아보는 아주 향기롭고 구수한 냄새가 풍겨오는데 속이 뒤집어 질

것 같았네. 그래서 정신을 가다듬고 냄새가 풍겨오는 곳을 가보니 낚시꾼의 낚시 줄이 보이더라고. 그래서 깜짝 놀라서 뛰쳐나오면서 보니까 아니 바닥에 그 향기롭고도 맛있는 냄새가 나는 떡밥덩이가 사방에 흩어져 있지 않겠나? 그래서 조심스럽게 낚시 줄에서 멀리 있는 떡밥을 한 입 집어서 먹어보니 아! 얼마나 향기롭고 맛이 있는지 그냥 입에 들어가면서 살살 녹아서 목구멍으로 넘어가면서 내 몸에 새 힘이 솟구치더라고. 그래서 조심조심 경계하면서 낚시에서 떨어진 떡밥을 집어 먹는데 이거 그 맛이 환상적인 거야! 한참을 집어 먹다보니 이제 눈에는 오직 떡밥만 보이더군. 그런데 큼직한 이제 새로 떨어진 듯한 떡밥이 있길래 이것 하나만 집어먹고 집에 가서 쉬어야겠다고 생각하고 아무 생각 없이 그 맛있는 떡밥덩이를 한입 크게 물었다고 생각했는데 입천장이 따끔하게 아프더니 내 몸이 붕~ 떠서 끌려가는 것이 아닌가! 나는 정신이 바짝 나서 '내가 낚시에 걸렸구나!' 생각이 들면서 이제 죽었구나 하고 잡혀 가지 않으려고 이리 뛰고 저리 뛰며 몸부림쳐 보았으나 낚시꾼의 그물망에 내 몸이 담겨져서 이렇게 이곳까지

왔다네! 정말이지 굶주림에는 죽는다고 하는 생각은 멀리 가고 우선 굶주린 배를 채워야겠다고 하는 마음뿐이어서 낚시꾼에게 잡혀 가는 것 같네! 어쩌겠나! 미련하게 판단을 잘못하며 잡혀서 죽게된 것인걸!"

이장 붕어의 긴 이야기를 듣던 고기 바구니 속의 고기들 중에는 이장 붕어를 동정하며 눈물을 흘리는 붕어들도 있었다.

젊은 붕어가 말했다. "결국 이장님은 우리 마을의 어족들의 희생을 막기 위해서 생명을 걸고 수고 하다가 우리 마을을 위하여 희생하셨군요? 여기 잡혀온 우리 저수지 마을의 어족들도 다 잡힐 수밖에 없는 이유들이 있는 것 같습니다. 나 같은 경우도 그래요. 나는 우리 마을의 마라톤 선수잖아요? 앞으로 한 달 후에 있을 마을 축제를 준비하며 일등을 목표하고서 열심히 연습을 하였습니다. 오늘도 남들이 일어나지 않은 이른 새벽에 혼자서 우리가 살고 있는 이 넓은 저수지 마을을 스무 바퀴를 뛰고 나니까 이제 숨도 차고 배도 고프고 지쳐서 그만할까? 했으나 이런 약한 생각 가지고는 우승 못 한다고 하는 강박관념에 밀려 다시 정신을 가다듬고 뛰기를 시작하는데 이장님이 낚시꾼들이 몰려오니까 조심하여 생명을 지키라고 외치며 지나가더라고요. 너무도 고맙고 참으로 우리 마을의 훌륭한 이장님이라고 생각하면서 뛰었습니다.

그런데 운동선수는 잘 먹어서 체력을 가꾸어야 잘 뛸 수 있는데 요즘 조건들이 너무 어려워서 영양섭취를 못하여 몸이 많이 허약함을 느낍니다. 한참을 힘에 겨우면서도 정신을 차리고 뛰어가는데 꿈에도 그리던 그 싱싱한 지렁이가 바닥에서 꿈틀거리고 있잖아요. 나는 혹시 낚시꾼이 낚시에 꿴 지렁이가 아닌가 생각하고 살펴보았으나 낚시 줄이 보이지 않더라구요. 그래서 남이 볼까봐 지렁이 꼬리를 입에 대고 쭉 빨았더니 그냥 입속 가득히 들어오는데 새힘이 솟는 것 같더라구요. 아! 오랜만에 영양보충을 하여 체육대회에서 좋은 성적을 내겠구나! 하고 다시 뛰려고 일어나는데 몰속의 풀대에 갓 끊어진 지렁이가 감겨 있지 않겠어요? 나는 조금 위험을 느꼈지만 그냥 풀대에 감겨 있으니 낚시에 꿰인 것이 아니라 확신하며 또 지렁이 꼬리를 물고 야금야금 물어뜯는데 아뿔사! 입천장이 따끔 하더라구요. 그래서 혹시 낚시에 걸린 것이 아닌가 생각하는 사이에 내 몸은 물위로 붕~ 뜨더니 그만 낚시꾼에게 잡혀서 이곳에 오게 되었습니다. 아! 체육대회의 마라톤 1등의 꿈이 산산이 깨지고 사라졌습니다. 아이고 억울해!" 하면서 통곡하는 것이다.

이야기를 듣고 있던 나이 많은 붕어가 말했다. "누가 잡혀 죽을 거라고 낚시 밥을 물었겠는가? 우리는 먹어야 하기 때문에 늘 위험을 느끼면서 경계하지만 순간적으로 그 달콤한 유혹에 빠져서 잡히는게 아니겠는가? 오늘 우리 마을의 이장이 생명 바쳐 가면서 수고한 결과가 얼마나 결실을 거둘지 안타깝기만하네."

이장되는 붕어가 수장되는 붕어에게 말했다. "우리 마을에 중대한 일이 있을 때는 수장님이 그 문제들을 풀어 어려운 문제들을 해결했는데 이제 수장님께서 잡혀 들어왔으니 우리 마을의 많은 어려운 일들은 누가 해결할 수가 있겠습니까? 지금까지 그 어려운 유혹 속에서도 잘도 견디고 헤쳐오신 수장님이 어떻게 해서 잡혀 오셨습니까? 무

어라고 드릴 위로의 말이 없습니다."

구구한 사연들의 연속

수장되는 붕어는 잡혀온 마을 어족들을 둘러보고는 깊은 한숨을 내쉬었다. 그리고는 낚시꾼에게 잡혀온 사연을 이야기하기 시작했다.

"이 사람아! 부끄럽고 창피해서 말이 안 나오네! 내가 누구인가? 이 나이 먹기까지 우리 마을을 이끌어 오면서 자네들을 지도하지 않았던가? 별별스런 유혹도 잘도 물리치고 그 많은 위험에도 잘도 대처한 것은 자네들이 너무 잘 알고 있지 않은가? 그러나 가족의 정이란게 그렇게 중요하고 죽음의 위험에 이르게 하는 것 인줄은 몰랐네! 내 아들 딸들이 얼마나 많았는가? 그들에게서 헤아릴 수 없는 많은 손자 손녀들이 태어나지 않았던가? 그들은 잘 지도하여 지금껏 건강하게 잘들 살고 있는 자손들이 있는가 하면 나의 말을 귀담아 듣지 않은 애들 가운데 상당수가 내 앞에서 사라졌다네! 다른 마을로 이사를 갔는지? 낚시꾼에게 잡혀 갔는지 한 번 내 곁을 떠난 자손들이 다시 돌아온 일은 아직까지 없었다네!"

여기까지 말하고는 슬픈 얼굴로 한동안 멀리 하늘을 바라보던 수장 붕어의 이야기가 이어졌다."그런데 내게는 가장 사랑스럽고도 나를 그렇게 따르는 손주놈이 먹을 것을 내게 가져와서 먹게하고 내가 좀 걱정거리가 있는 것 같으면 내 곁에 와서 아양을 떨고 춤을 추고 노래를 하여 나로 하여금 얼굴을 펴고 웃게하는 그런 정말 내게는 어느 자손보다 보배로운 귀한 손자라네! 그런데 이 손자가 어떻게 하다가 병이 났다네! 손주의 이 병을 고쳐보려고 많은 애를 써 보았지만 별 효과가 없고 그처럼 귀엽게 생겼던 사랑스런 녀석이 힘없이 야위어 가면서 병석에 눕고보니 늙어가는 나로서는 살아갈 재미를 잃어가고 있었다네! 그런데 이 손자가 꼭 먹어보고 싶은 것이 있다고 이 아이 곁에서 근심에 잠긴 채 돌보는 나에게 부탁하는 것이 아닌가!

나는 그 아이에게 네가 부탁하는 것이라면 내 목숨을 걸고라도 들어주겠다고 했다네! 그랬더니 그 아이는 말하기를 맛있는 떡하고 고기 한점만 먹으면 나을 것 같다고 하더군! 나는 생각했다네. 그 까짓것 내 뒤를 이을 내 생명같이 사랑스런 손자를 위한 일이라면 내 생명을 걸어놓고 찾아서 갖다 주겠다고 약속하고 마음을 단단히 먹고 밖으로 나왔다네! 손자 아이의 요청을 들어주려면 낚시꾼이 있는 곳으로 가서 재주껏 얻어 와야 할 것 아닌가? 낚시꾼과는 말이 통하지 않으니 사정해도 안될 것이고 내 얼굴을 내밀면 뜰채 망으로 건져갈 것이 아니겠는가? 그래서 조건이 좋은 곳을 찾아서 이곳저곳으로 돌아다니는데 한곳에 가보니 이장의 처지와 같이 참으로 냄새만 맡아도 군침이 넘어가는 떡들이 널려있더군! 우선 맛이 있는지 없는지를 확인하려고 부스러기를 한 입 먹어 보았더니 무엇으로 어떻게 만들었기에 지금껏 먹어본 일이 없는 정말 환상적인 향기와 맛이더라고. 나는 열심히 큰 덩이를 모아다가 안전한 곳에 모아놓고 이제는 고기를 구할 방법을 찾은거야! 그런데 이 낚시꾼은 전문 낚시꾼이어서 값비싼 낚시대를 10개나 펼쳐놓고 낚시를 하는거야! 여기저기를 살펴보니 글쎄 그 탐스럽게 살찐 지렁이를 통으로 2마리나 낚시에 꿰어서 던져놓은 것이 아닌가?"

수장붕어는 여기까지 이야기를 하고는 목이 마르던지 한동안 벌컥벌컥 물을 마시고는 조금 쉬었다가 다시 말을 이어갔다. "이걸 보니 정말 마음이 동하더군. 그리고 잘된 것은 내가 먹으려고 하지 않고 손자에게 줄 것이니 위험 부담은 조금 있지만 통 지렁이를 두 마리씩이자 꿰었고 낚시 바늘 깊이 꿴 것도 아니고 지렁이 두 마리의 허리에 낚시 바늘을 꿰었으니 떼어내기는 조금 쉬운 일이어서 안전을 위하여 지렁이 주위를 몇 바퀴 돌아보고는 한 지렁이의 주둥이를 꽉 물고 힘껏 당겼지! 그러니까 낚시꾼도 내가 낚시를 제대로 물은 줄 알고 힘껏 채더라고, 그러니까 허리에 낚시가 꿰인 지렁이는 보기 좋게 낚시에 지렁이 몸이 찢겨지면서 내 입에 물은 지렁이의 그 큰 주둥이 덕에 통째로 얻게 된 거야. 그런데 욕심이란 참 무서운 거라네! 얻은 떡 덩이를 입 가득히 물고 지렁이 주둥이를 물고 앓아 누워 있는 손자 곁으로 왔으면 좋았을 것 아닌가? 그런데 이 미련한 낚시꾼은 인심이 좋았는지 무슨 술책이 있었던지 꼭 통 지렁이를 두 마리씩이나 꿰지 않는가?

나는 슬며시 욕심이 나더라고. 에이! 한 마리 더 떠가지고 가서 손자도 실컷 먹이고 나도 맛 좀 보자 생각하고 기다리고 있었더니 과연 탐스런 지렁이 두 마리씩이나 꿴 낚시가 또 내려오지 않겠나? 나는 이거 웬 떡이냐 라고 생각하고 얼른 둘 중에 한 지렁이의 대가리를 한입 물고 힘껏 당기지 않았던가? 그랬더니 이번에는 그 지렁이의 반 토막만 떨어지고 나머지는 낚시에 간당간당 걸려 있는 거야. 그래서 그 남은 지렁이를 떼어야겠다 생각하고 남은 지렁이의 꽁지를 물고 보니 좀 약한 것 같아서 좀 깊이 물고 당기는 순간 이번에는 지렁이 몸속 깊이 낚시를 꽂은 것을 누가 알았겠나? 낚시가 내 입 천장에 단단히 꽂힌 모양이야! 낚시꾼은 힘껏 낚싯대를 채서 나를 끌어내는데 나는 끌려가지 않으려고 있는 힘을 다해서 몸부림을 치면서 이리 뛰고 저리 뛰고 풀대에 몸을 감아도 보았으나 워낙 깊이 낚시가 꽂혀서 한동안 실갱이를 하다가 큰 뜰채 그물에 담겨서 이 꼴이 되지 않았나! 생각하면 이 나이 먹도록 살아서 별별 위험한 고비를 넘겼건만 죽을 때가 되면 어쩔 수 없는 것 같네!

지렁이 한 마리로 만족했어야 했고 기다리는 손자 곁으로 달려갔더라면 이꼴이 되지는 않았을 것이 아닌가? 어쩔 수 있겠나? 이제는 죽게 되었으니 억울하고 분하고 그냥 입술을 뜯어내고 싶은 마음뿐이라네.

나는 나이 들어 죽어도 별 여한이 없겠으나 아! 나를 간절히 기다리는 내 사랑하는 손자는 어떻게 할꼬? 그처럼 애타게 얻어서 모아놓은 그 맛있는 떡밥과 그 살찐 지렁이는 이제 다른 어족이 먹을 것이고 나를 기다리던 내 사랑하는 손자는 나를 기다리다가 오지 않으면 내가 잡혀 간줄 알고 그 허약한 아이가 울다울다 힘을 다하면 죽게 될 것 아닌가!

"아이고 아이고! 이 멍청한 늙은이야! 작은 것으로 만족할 일이지 웬 욕심을 부리다가 이 꼴이 되었느냐! 아이고 내 사랑하는 손자가 불쌍해 어찌 할 것인가! 이제 그 사랑스런 손자의 모습을 영영 못 보게 된게 아닌가? 아이고!" 수장 붕어의 목이 메이는 슬픈 이야기를 듣고 있던 고기망 속의 붕어들도 수장되는 붕어의 그 애틋한 손자를 위한 너무도 고귀한 사랑에 감격하여 소리 없이 울며 눈물을 흘리고 암컷 붕어들은 소리 내어서 "엉엉" 울면서 이리 뛰고 저리 뛰면서 몸부림을 쳤다.

아무리 날뛰어도

이때에 이제 갓 결혼기에 들어선 총각 붕어가 잡혀 들어왔다. "아이고 여기가 어디야? 낚시꾼의 고기 바구니가 아니야? 아! 안 돼! 안 돼, 죽어서는 안 돼! 죽을 수 없어. 나는 어떤 방법을 써서라도 나가야 해. 나는 죽어서는 안 돼!"

소리소리 지르며 낚시 바구니 속을 이리 뛰고 저리 뛰고 바구니 벽을 사정없이 들이 받으며 제 정신이 아니었다. 먼저 잡혀온 붕어들이 이 모습을 보면서 어떤 특별한 사연이 있겠구나! 라고 생각하며 "어! 젊은이! 고정하게 무슨 특별한 사정이 있는 것 같은데 여기 잡혀 들어온 우리 마을의 어족들 중에 하나인들 사연이 없이 잡혀온 어족은 없다네! 그렇게 날고 뛰면서 고통한다고 문제가 해결되는 것은 아닐쎄! 좀 진정하고 우리 모두 탈출할 기회와 방법을 찾아보세!" 간곡히 권하면서 붙잡고 위로해 주었다.

미친 듯 날뛰던 젊은 붕어는 몸부림을 치면서 통곡을 하였다. 한동안 통곡을 하던 젊은 붕어는 먼저 잡혀 들어온 어족들에게 애원한다. "여러분! 다들 걱정 중에 있으시지만 나 좀 빨리 밖에 나 갈 수 있도록 도와주시고 방법 좀 가르쳐 주세요. 네? 네?" 정말 정신이 나간 사람처럼 어쩔 바를 몰라 하고 있는 것이다.

수장되는 붕어가 젊잖게 나무랬다. "애야, 누가 이곳에 갇혀 있기를 바라겠느냐? 그러나 어떻게 탈출해야 할지 묘한 방법을 찾지 못하고 있단다. 너는 무슨 특별한 사연이 있어서 그렇게 애통을 하고 있는지 이야기나 들어보자."

젊은 붕이의 울음은 좀처럼 그치지 않아서 모두 다 슬픈 기색을 하고 지켜보고 있었다. 간신히 울음을 그친 젊은 붕어가 더듬거리며 이야기를 시작했다. "지-금 밖에는 내 사랑하는 애인이 울고 있을 거-예요. 너-무 예쁘고 사랑스러운 아가씨예요. 밤-새껏 이야기하며 수풀 사이로 쏘

다니다보니 날이 밝았어요." 이 젊은 붕어가 말을 더듬어서 듣기에 좀 짜증이 났다.

　이 젊은 붕어의 이야기는 대략 이랬다. 젊은 붕어의 애인 되는 처녀 붕어가 배 고파서 더는 못 가겠다고 앉아서 칭얼칭얼 우는 것을 본 젊은 붕어는 자기가 가서 먹을 것을 구해 온다고 하니까 애인되는 처녀 붕어가 제발 낚시터 근방에는 가지 말라고 간곡히 당부했지만 맛이 있는 먹이를 구하는 길은 낚시터 외에는 없다고 하는 것을 너무나 잘 알고 있기 때문에 사랑하는 애인을 위해서라면 생명도 바칠 수 있는데 그까짓 것의 위험은 잘 극복하면 될 것이라고 생각하고 부스러기 조금 있어서 배가 너무 고파서 한참 주워 먹었더니 정신이 돌아오더란다.

　주위를 살펴보니 환상적인 맛있는 냄새가 나서 냄새 나는 곳을 보니 낚시꾼의 낚시에 보기도 좋고 먹음직스런 떡밥이 한 덩이가 매여 있었다. 그는 재빨리 그곳으로 가서 어떻게 저 맛이 있게 보이고 환상적인 냄새가 나는 저 떡밥을 떼어다가 배가 고파서 울고 있는 사랑하는 애인에게 줄까? 싶어서 몇 바퀴를 돌다가 "그래 한 쪽만 떼어가자" 생각하고 얼른 한 쪽을 베어 무는 순간 낚시꾼이 낚시를 채어 올리는데 입에 물린 떡밥은 아무런 문제가 없는데 배 쪽에 무엇이 아프게 찔리는 것을 느낌과 동시에 젊은 붕어 는 입에 떡밥을 문채 떡밥 밑의 낚시가 배를 꿰어 잡혀 왔 다고 원통해 하며 울어댔다.

그러면서 "나는 어떻게 해서라도 나를 기다리는 나의 사랑하는 애인 곁으로 가야 해요. 그렇지 않으면 그 사랑 하는 나의 어여쁜 애인이 울다 울다가 내가 안 오면 무슨 일이 있구나 하는 절망 가운데 죽을지도 몰라요. 내 사랑 하는 애인은 마음이 너무도 착하지만 너무나 약해서 심장 이 멎어서 죽을지도 몰라요, 나 좀 구해 주세요! 그 은혜는 꼭 잊지 않고 갚을 게요"라고 흐느껴 운다.

이장되는 붕어가 이 딱한 사정을 듣고는 한숨을 쉬면서 이야기 한다. "자네 사정이 너무 딱한데 여기에 잡혀서 갇 혀 있는 우리로서는 어떠한 방법이 없다네. 이를 어떻게 하면 좋은가?"

이야기를 하고 있을 때에 잘 생긴 튼튼한 붕어가 또 잡혀 들어온다. 잡혀온 붕어는 다른 붕어처럼 절망 중에 날 뛰지도 않았다. 그냥 낚시 바구니에 던져진 대로 죽은 듯이 누워 있는 것이다. 죽었는지 깜빡 기절을 했는지 알 수가 없어서 이장되는 붕어가 이제 잡혀 와서 죽은 듯이 누워있는 붕어 곁에 가서 흔들면서 보니 이제 잡혀 들어온 붕어는 이 저수지 마을에서 가장 똑똑하고 아이큐가 높은 붕어로 저수지 마을에서는 모르는 어족이 하나도 없을 만큼 유명한 붕어여서 낚시꾼에게 잡혀 들어왔다는 것은 있을 수 없는 일이었다.

"여보게 정신 차리게! 일어나, 왜? 그렇게 누워있는가? 죽지는 않았지?"라고 큰 소리로 말하며 흔드니까 감았던 눈을 겨우 뜨고 "아니, 여기가 어디예요? 왜, 이렇게 아는 분들이 많아요? 여기가 우리 마을 회관인가요? 내가 낚시꾼에게 잡혀와서 죽는줄 알았는데 아직 죽지는 않았군요?"

이장 붕어가 긴 한숨을 쉬면서 말했다. "이곳은 낚시꾼의 고기 바구니야. 우리 모두는 자네처럼 낚시꾼에게 잡혀서 이 바구니 속에 갇힌 거야! 이제 해가 지게 되면 낚시꾼이 집으로 가져가서 저들의 반찬거리가 되고 말거야. 흑!
흑!"

절망의 바구니에

 이장되는 붕어도 울음을 참지 못하고 서러움에 북받쳐
한동안 눈물을 흘리며 울고 있었다. 이때 이 저수지 마을
의 수장이 되는 붕어가 가까이 와서 갓 잡혀온 그 잘 생긴
붕어를 보더니 깜짝 놀라며 눈물을 흘리며 말한다. "아니,
네가 잡혀 오다니……. 우리 마을의 유일한 희망이며 기쁨
이었던 정말이지 우리에게 그토록 큰 기대를 주었던 너까
지 잡혀 들어왔으니 우리 마을의 찬란한 등불이 꺼지고 말
았구나! 이를 어쩌면 좋단 말이냐? 어쩌다가 이 꼴이 되었
느냐?" 그 잘 생긴 붕어가 모든 것을 체념한 듯 힘없이 일
어나서 그가 잡혀오기 까지의 과정을 이야기 하는 것이다.
 "내가 잡혀 와서 절망 중에 정신을 잃었다가 깨어보니
여러분이 갇혀 있는 이 절망의 바구니에 갇혀 있군요. 곰

곰이 생각해보니 나는 이 꼴이 된 것이 너무도 마땅한 보응을 받은 겁니다."

그는 말을 잠시 쉬었다가 이어 이야기 한다. "나는 마음씨가 참 나빴습니다. 아이큐가 높아서 머리가 잘 돌아간다고 하는 것만 믿고 얼마나 많은 낚시꾼들을 골탕 먹인지 모릅니다."

여기까지 이야기를 듣던 마을의 수장이 되는 붕어가 말했다. "우리를 잡아다가 요리해 먹는 낚시꾼을 골탕 먹이는 것은 어쩌면 우리가 당연히 해야 하는 일을 지금껏 네가 위험을 무릅쓰고 감당해 온 거야. 우리 마을의 어족들은 너의 그 영리한 머리로 낚시꾼들을 골탕 먹일 때마다 그 얼마나 통쾌하고 좋았던지 모른단다. 그리고 네게 고마운 마음을 전하고 격려의 박수를 쳤단다. 그런데 너 마저 잡혀 들어왔으니 이제 그 많은 우리 마을의 어족들을 잡아다가 부부가 헤어지고 부모와 자식 간에 이별을 고했고 형제와 친구와 이웃을 잡아간 그 분한 우리의 원수 낚시꾼들에게 복수를 할 수 있는 용사가 어디 있겠느냐? 아, 아깝다. 그리고 억울하다."

그 말을 마치고 돌아앉으면서 눈물을 훔친다. 그 똑똑한 이제 잡혀온 붕어가 수장되는 붕어 곁에 가서 머리를 숙이고 위로하며 이야기 한다. "제가 한 일이 우리 편에서 보면 그렇게 재미있고 통쾌한 일이지만 낚시꾼에게는 견딜 수 없는 신경질이 나고 약이 오르는 일이었기에 그 못된 짓만 하면서 잔머리 굴리며 낚시꾼을 속 상하게 하고 많은 손해를 끼치게 했고 밤새껏 부인과 싸우고 이침에 직장도 안 나가고 낚시터에 온 그런 재수 없는 사람이 저한테 걸렸으니 하루 종일 고기는 한 마리도 못 잡고 신경질을 부리게 했으니 참 못할 일을 많이 한 죄 값으로 이렇게 낚시에 꿰어서 잡혀 왔습니다."

수장되는 붕어가 힘을 주어 말한다. "그래서 너는 우리 마을의 보배라고 하는 거란다. 너로 인하여 낚싯대를 부러 뜨려 내버린 낚시꾼이 여럿 있는 줄 안다. 내가 듣기에는 너 때문에 낚시 가방 채 불태우고 낚시를 그만 둔 낚시꾼이 여럿이 있다고 하는 말을 전해 들었다. 그 얼마나 영웅적인 처사며 우리 마을의 어족들의 생명을 지키는 일에 혁혁한 공을 세운 어족이 너 외에 또 누가 있겠느냐? 그래서 네가 잡혀 온 것이 분하고 억울하고 슬퍼서 이 낚시 바구니 안에 있는 우리들이 다 울고 있는 것이 아니냐. 그런 네가 어떻게 하다가 잡혀 왔단 말이냐?"

"제가 여러 번 우리 마을의 어족들을 모아 놓고 낚시에 걸리지 않고 떡밥과 고기를 실컷 떼어 먹고 낚시꾼을 골탕 먹여 일찍 집으로 돌려보내는 방법을 강의 하였고 그대로 실천하여 지금까지 재미있게 (낚시꾼은 속상했겠지만) 살고 있는 어족들이 많이 있습니다. 그러나 내 말을 귀 넘어 듣고 제 멋대로 행동하던 어족들은 다 잡혀가고 안타깝게도 보이지 않아서 속이 상합니다. 수장께서도 저의 그 잘못된 재주를 너무 잘 알고 계시지만 저는 사실상 낚시 포획 예방 연구회를 공식적으로 설립하고 주기적으로 우리 저수지 마을의 어족 생명 보호를 위한 본격적인 활동으로 정기 연구 강연을 계획하고 있었는데 이처럼 좋은 꿈이 한순간에 수포로 돌아가게 된 것이 정말 억울하고 이처럼 귀한 사업이 저의 자만심으로 교만함이 넘쳐 조심성 없이 행동하다가 잡혀 들어오게 되어 물거품이 된 것이 죽고 싶도록 괴롭습니다. 저 하나가 잡히므로 많은 우리 마을의 어족들이 생명을 잃게 된 것을 생각하면……"

똑똑한 젊은 붕어는 목이 메어서 말을 잇지 못한다. 낚시 망에 들어 온 많은 어족들이 똑똑한 젊은 붕어를 둘러싸고 위로의 말들을 건넨다. 그는 긴 한숨을 쉬며 멍하니 하늘을 바라보다가 다시 말을 잇는다.

"오늘도 여러 낚시터를 돌면서 우리 마을 어족의 생명을 하나라도 지켜보려고 애를 쓰다가 여기까지 오게 되었습니다. 여기 여러분을 낚아올린 낚시꾼은 전문 낚시꾼인 것 같아서 신경을 곤두세우고 지켜보니 그 특별한 맛과 향을 내는 떡밥과 지렁이와 구더기와 옥수수 등 다양한 미끼를 끼우고 우리 어족들의 구미를 돋우는 맛과 향기 있는 미끼를 뿌려서 많은 어족들이 모여 오더라고요. 저는 열심히 뛰어 다니며 경고 하고 낚시에 걸리지 않고 미끼만 따먹는 방법의 기술을 가르쳐서 이 낚시꾼의 낚시터 주위에는 지금 한창 먹이잔치가 벌어지고 있었습니다. 그 사이를 누비며 행여 낚시에 어족들이 꿸까봐 지도하고 다녔습니다. 그런데 한 건방진 젊은 녀석이 방정을 떨고 다니기에 그 녀석을 지키느라고 뒤쫓아 다녔는데 이 녀석이 탐스럽고 향기로운 떡밥이 욕심이 나서 앞뒤를 가릴 것 없이 달려 들기에 그 녀석의 뺨을 내 꼬리로 철썩 갈겨서 내쫓았는데 그 과정에서 낚시에 끼웠던 떡밥이 떨어지면서 힘차게 뺨을 친 내 꼬리에 낚시가 깊숙이 꽂히게 되었습니다. 아얏! 비명을 치는 순간 내 몸은 물위로 끌려가고 있었습니다. 있는 힘을 다하여 몸부림을 쳐 보았지만 꼬리가 낚시에 깊숙이 꿰이고 보니 힘을 쓰지 못하고 이렇게 끌려왔습니다. 이제 별 수가 없지요. 내 생명의 끝 날이 오고 만 것입니다. 이게 다 우리 저수지 마을의 어족들에게는 좋은 일을 했지만 낚시꾼들을 골탕 먹이고 손해를 끼치고 어떤 낚시꾼은 그날 너무 속이 상하고 신경질이 나고 약이 올라서 낚시 도구를 다 불태우고 집으로 가던 중 그가 타고 다니는 오토바이를 과속으로 몰았 던지 교통사고로 죽었다고 하는 이야기를 들었습니다. 낚시꾼들에게 너무 못 할 일을 한 죄 값으로 낚시 포획 예방 강사라고 자부심을 갖고 살던 제가 잡혀 오게 된 것은 너무나 당연 하지요."

똑똑한 젊은 강사 붕어의 긴 이야기를 듣고 있던 낚시

바구니 안에 갇힌 붕어들은 통곡을 하면서 똑똑한 강사 붕어의 낚시에 꿰었던 상처를 입으로 빨아 주며 위로를 해 주는 것이다.

이번에는 말없이 눈물 지으며 똑똑한 강사 붕어의 이야기를 듣고 있던 이장 붕어가 말했다. "자네는 정말로 우리 저수지 마을의 어족들을 위하여 힘을 다하여 애썼고 그 결과로 많은 우리 마을의 어족들을 살린 정말 고마운 일을 했는데 마지막으로 그 말도 잘 듣지 않고 사고만 잘 치던 그 건방진 젊은이를 살리고 이렇게 잡혀서 정말 아름답고도 무엇으로 갚을 수 없는 공을 세우고 가는구나!" 이장 붕어는 강사 붕어를 부둥켜안고서 통곡을 하는 것이다.

어린 붕어의 하소연

이때에 또 낚시꾼에게 잡힌 어린 붕어가 낚시 바구니 속에 던져졌다. 모여 있던 바구니 안의 붕어들은 놀라면서 접혀 들어 온 작은 붕어를 보았다. 그 작은 붕어는 한참이

나 정신을 못 차리고 우두커니 앉아 있다가 정신이 돌아왔는지 놀라서 묻는다. "여기가 어디예요? 이게 어떻게 된 거예요? 예?"

이장 붕어가 놀라면서 말을 했다. "얘야! 네가 어떻게 된 거니? 여기는 낚시꾼의 고기 바구니 속이야. 아이고! 네가 잡혀 들어오다니. 우리 마을의 희망의 별이 떨어졌구나. 이를 어쩌면 좋겠니? 너를 일찍이 지켜주지 못한 나의 죄가 크구나! 우리는 네가 잘 자라서 우리의 저수지 마을의 훌륭한 지도자가 되리라고 믿었는데 이제 우리의 기대가 한 순간에 무너지게 되었구나. 아이고! 아이고! 이를 어떻게 하면 좋겠니?"

어린 붕어가 말했다. "이장님, 그럼 우리는 어떻게 되는 거예요? 다른 마을로 팔려 가는 것인지 수족관이나 관광지의 방죽으로 이사 가는 거예요? 그러면 우리 모두는 서로 헤어지는 것이 아니예요?"

이 말을 들은 이장 붕어는 기가 막혔다. "얘야! 너는 아직 철이 들지 않은 어린아이여서 우리의 처지를 잘 몰라서 그러는 거야! 우리는 이제 다 죽게 된 거야. 낚시꾼의 밥상

에 반찬으로 오르게 되었단 말이다."라고 말을 잇지 못했
다. 어린 붕어는 전혀 이해가 되지 않았다. "아니 왜 죽어
요? 우리가 죽을 만큼 나쁜 일을 하지는 않았잖아요. 죽어
야 할 이유가 무엇입니까? 그 작은 낚시에 끼어 놓은 떡밥
을 떼어 먹었다고 죽는다고 하는 것은 말이 안돼요. 나는
죽어서는 안 돼요. 집에 가야 해요. 우리 엄마가 지금 얼마
나 기다리고 있는데 죽으면 어떻게 해요! 우리 엄마는 어떻
게 되는 건데요?"

어린 붕어가 통곡을 하면서 미친 듯 바구니 속을 뛰어
다닌다. 바구니 안에 있던 다른 붕어들도 어린 붕어가 너
무 불쌍하고 딱해서 같이 울면서 뛰어 다닌다.

한동안 바구니 속은, 것 잡을 수 없는 소란 속에 휘말리
어 난리였다. 낚시꾼이 고기들의 난리치는 것을 보고 조금
불안했던지 일어나서 그 커다란 낚시 바구니를 꺼내서 확
인해 보고는 다시 물속 깊숙이 던져 넣고 바구니 지지대를
든든하게 다시 꽂고는 낚시를 계속했다.

이 일로 바구니 안은 평정을 되찾게 되었고 미친 듯 날
뛰던 어린 붕어도 안정을 되찾은 것 같았다. 어린 붕어가

이장 붕어를 찾아와서 부탁한다. "이장님! 수고스럽겠지만 저 좀 나가게 해 주세요. 저는 여기서 죽을 수는 없어요. 저는 너무 어리잖아요. 저는 이제 초등학교 학생이잖아요. 더구나 내일은 우리 학교에서 웅변대회가 있잖아요. 내가 우리 반 대표로 나가게 되었어요. 웅변대회에서 내가 주장할 제목은 '작은 떡밥으로 우리의 생명을 바꾸지 맙시다!' 입니다. 지금 원고를 다 외우고 복습하는 중이었어요. 제가 못 가면 우리 반에서 대신 나갈 학생도 없답니다. 나 좀 꼭 나가게 힘 좀 써 주세요." 라고 이장 붕어를 붙잡고 간곡히 부탁을 하는 것이다.

이장 붕어는 이 불쌍한 철없는 어린 붕어까지 잡아가는 낚시꾼이 정말 나쁘고 괘씸한 사람이라고 마음속으로 욕을 했다. 그리고 무엇이 어떻게 돌아가는지도 분별 못하는 어린 붕어에게 절망적인 말을 차마 할 수 없어서 잡혀가서 죽을 때는 죽을망정 그 때까지 만이라도 실현성은 없는 일이지만 희망을 주기로 했다.

"그래, 우리가 할 수 있는 힘을 다해서 기회가 되면 가장 먼저 너를 내보내 줄게." 목이 메인 소리로 말로나마 위로

할 수 밖에 없었다.

이 말을 들은 어린 붕어는 살길이 생긴 것 같아 금방 명랑해져서 "이장님, 감사합니다. 감사합니다. 제가 나가게 되면 여러 어른들께서 기대하시는 대로 훌륭하게 자라서 우리 마을을 잘 살게 하는 일에 힘을 다하겠습니다."

말을 마치는데 이장 붕어가 물었다. "그런데 너는 어떻게 하다가 잡혀서 이곳에 오게 되었니?"

"저요? 내일 있을 웅변대회 원고를 외우느라고 어제 밤 늦게 까지 열심히 외웠습니다. 새벽 일찍이 일어나서 우리 마을 뒷동산에 올라가서 있는 힘을 다해서 연습을 했습니다. 그런데 해가 떠올라 오니까 이제 학교에 갈 준비를 해야 하기 때문에 집으로 내려오는 길에 배가 너무 고픈 거예요. 힘없이 걸어오는데 어디서 너무도 맛있는 냄새가 풍겨오지 않겠어요? 그래서 그 엄청나게 맛있는 냄새가 풍겨나는 곳으로 찾아가 보니까 글쎄 이게 웬 떡이겠어요? 땅바닥에 아주 예쁜 불그스름한 떡덩이 하나가 놓여 있지 않겠어요? 혹시나 낚시꾼의 미끼가 아닌가! 살펴보았으나 낚시줄이 보이지 않았어요. 그래서 야, 재수 좋다. 누가 여

낚시 바구니 속의 비탄 51

기에 이런 맛있는 떡을 갖다 놓았을까? 생각하니 참 고마운 마음이 들었습니다. 그래서 배고픈 참에 딱 얼른 물어 삼키지 않았겠어요? 그 순간 무엇이 내 입술을 꽉 찌르는 거예요! 그래서 아야! 소리치며 가려고 하니까 이상하게 내 몸이 물 밖으로 끌려 나가더니 붕~ 하늘로 뜨는가, 생각하는 사이 낚시꾼의 손에 잡혀서 여기까지 온 거예요. 나 잘못한 것도 없는데 그랬어요. 누가 그런 곳에 낚시 밥을 던져 놓았을 줄을 알았겠어요? 사람들은 참 나빠요. 그 작은 달콤한 떡 덩이로 우리 어족들을 잡아가는 것은 너무 잘못하는 일인 것 같아요!"

이 철없는 어린 붕어의 천진한 이야기를 듣고는 모두들 말을 잃었다.

이 어린 붕어는 앞으로 어떻게 될 줄은 생각도 하지 못한 채 그냥 잘 되리라고만 생각하고 웅변 연습을 시작한다. "……우리 저수지 마을의 어족 여러분! 우리 마을 어족들은 하나같이 평화를 사랑하고 언제까지나 행복하고 마을의 변영을 이루어야 하지 않겠습니까? 우리는 서로를 아끼고 사랑하며 우리 마을을 대대로 지켜 나아가야 할 사명이 있습니다. 그러기 위해서는 우리 마을 어족들은 똘똘 뭉쳐서 우리를 잡아 가려고 던져놓은 낚시꾼의 그 작은 떡 덩이와 한 입감 밖에 안 되는 지렁이 토막에 우리의 생명을 걸어서는 안되겠습니다."

"여러분! 여러분들이 건강하게 잡혀가지 않고 살아야 우리의 숭고한 목표를 이룩할 것이 아니겠습니까? 여러분! 우리는 낚시꾼의 그 작은 미끼에 절대로 속지 말아야 합니다. 그래서 우리 가족을 지키고 마을을 지켜야 하겠습니다. 잠깐의 유혹에 우리의 생명을 거는 어리석은 일은 없어야 하겠습니다. 우리는 다 같이 뜻을 굳게 모아서 낚시꾼들이 우리 마을에 발을 붙이지 못 하도록 그 작은 미끼를 배격하고 우리 마을의 장구한 안정과 평화와 행복이 꽃이 피는 마을을 이룩하는 일에 우리 모두 사명감을 가지고 동참합시다."

그 작은 낚시에 꿰인 떡 덩이에 걸려 잡혀 왔으면서도 그 작은 미끼에 속아 생명을 뺏기지 말라고 하는 너무도 철없는 어린 붕어의 불을 토하는 것 같은 모습에 모두 다 씁쓸한 웃음을 금할 수가 없었다. 어린 붕어는 계속 웅변 원고를 외우고 연습을 하는 것이다. 너무도 철없는 어린 붕어의 딱한 모습에 수장 붕어가 말했다.

"얘야, 이제 그만해도 되겠다. 그러다가 배고파서 쓰러지면 웅변대회에 못나갈 것 아니냐. 여기에는 너를 먹일 떡 덩이나 고기 같은 것은 없단다. 이제 그만 하고 속으로 원고만 잊어버리지 않도록 하여라."

수장 붕어의 이 말에 어린 붕어는 웅변 연습을 중지하고 한 쪽에 앉아서 원고 내용을 중얼중얼 외우고 있었다.

멋쟁이도 별 수 없이

이때에 은빛 나는 커다란 멋쟁이 단치가 잡혀 들어왔다. "아이쿠 여기가 어디야. 낚시꾼의 고기 바구니잖아. 아이구 이를 어째. 꼼짝없이 죽게 된 게 아닌가? 아니 여기에 우리 마을의 귀한 어른들도 들어와 계시네. 아이구 어쩌면 좋아." 성질 급한 단치는 미친 듯이 이리 뛰고 저리 뛰면서 엉엉 울었다.

온통 낚시 바구니 속이 난리가 난 것이다. 그간 참고 있던 설움이 북받친 붕어들도 단치와 같이 이리 뛰고 저리 뛰며 정신을 잃고 혼란에 빠지게 되었다.

낚시 하느라고 꼼짝없이 앉아서 정신 집중 하고 있던 낚시꾼이 고기 바구니 속이 혼란한 것을 알고 일어나서 낚시 바구니 끈을 들고 물 밖으로 들어 올렸다. 바구니 속의 고기들은 깜짝 놀라서 한데 엉킨 채 제 정신으로 돌아왔다.

그때 마을 수장 붕어가 숨을 헐떡거리며 말했다. "우리가 좀 진정 했어야 했는데 너무 정신을 잃고 뛰는 바람에 낚시꾼이 화가 나서 이제 그만 우리를 잡아 가지고 집으로 일찍 가려고 하는 것 같다. 죽기는 죽을 처지이지만 조금 일찍 죽게 된 것 같다. 이를 어쩌면 좋은가?"라고 절망적인 탄식을 길게 늘어놓는다.

낚시꾼은 무어라고 중얼거리고 한참 고기 바구니를 들고 있더니 다시 물속에 고기 바구니를 넣고는 더 튼튼하고 긴 고기 바구니 걸게를 단단히 꽂고 바구니 주둥이를 높이 내어놓고 단단히 묶고는 다시 낚시를 계속하는 것이다. 고

기 바구니 속의 고기들은 놀란 가슴을 쓸어내리며 긴 한숨
과 탄식 소리로 가득했다. 바구니 속의 활동범위가 많이
좁아졌다. 고기 바구니의 1/3이 물 밖으로 나가 있기 때문
이다. 고기 바구니 속이 안정을 되찾은 분위기였다. 잘못
하면 더 빨리 죽게 된다고 하는 사실을 알고는 괴로움과
슬픔과 절망적인 비탄에 잠겨 있지만 서로가 조심하느라
고 애쓰는 모습이다. 이때 저수지 마을의 수장 되는 붕어
가 풀이 죽어서 한쪽으로 가서 절망 중에 웅크리고 있는
단치에게 물었다.

"애, 단치야! 너는 우리 저수지 마을에서 가장 영리하고
빠르고 날쌘 단치여서 네 별명이 날쌘 돌이라고 붙여 진게
아니냐? 그런데 어떻게 하다가 잡혀 들어왔느냐? 그처럼
유명한 너마저 잡혀 들어왔다고 하는 것은 우리 마을이 위
기에 처해 있다는 것을 말해주는 것 같구나! 큰 일 났다. 어
떻게 하면 우리 마을의 어족이 망하지 않고 보존 될 수가
있겠느냐?" 수장 붕어도 긴 한숨을 내쉬며 낙심 하는 것이
다. 단치가 앞으로 나와서 이야기를 시작 했다.

"수장 어르신께 참으로 죄송하고 너무나 자신에 차서

교만했던 제 잘못을 고백합니다. 여러분들께서 잘 아시듯이 혼자 잘 난 체하고 똑똑한 체 했던 마음과 행동이 교만으로 이어졌고 그 일로 인하여 이렇게 잡히게 되었습니다. 제가 우리 마을에서 낚시에 물리지 않는 법, 미끼를 손쉽게 따 먹는 법. 낚시꾼을 약을 올리고 낚시를 못하게 하고 집으로 쫓아 보내는 방법을 우리 마을의 어족 회의 때 마다 강사로 강의 하지 않았습니까? 그 중에 한 분 중 저의 강의를 잘 듣고 실천하여 많은 낚시꾼을 골탕 먹이고 화가 나서 낚싯대를 끊어버리게 하고 낚시 도구까지도 불태우게 했던 분이 여기에 와 있습니다. 너무나도 아깝습니다. 이것은 우리 마을에 있어서 큰 손실이고 회복 불가능한 아픔을 우리 마을이 입은 것입니다."

단치는 숨이 찬듯 하던 말을 쉬고 물을 몇 모금 마신 후에 다시 이야기를 시작하였다. "낚시꾼을 일찍 보냄으로 많은 우리 마을의 어족들의 생명을 위협하는 유혹에서 지킬 수 있었고 낚시 도구를 불사르게 하여 우리 어족들의 생명을 그만큼 보전할 수 있었기 때문입니다. 저는 오늘 좀 힘이 들었지만 열심히 뛰면서 낚시꾼을 실망 시켜서 다

섯 사람이나 쫓아 보냈습니다. 그리고 낚시꾼이 낚시 하던 강바닥에 미끼, 떡밥과 지렁이 옥수수 등 먹이를 가득히 떨어뜨려서 우리 마을의 어족들의 주린 배를 그 맛있는 비싼 최신 떡밥과 살찐 지렁이를 배불리 먹을 수 있도록 했고 저도 이 멋지게 튼튼하고 살찐 몸에 떡밥이랑 지렁이랑 실컷 먹어서 배불릴 수가 있었습니다. 그러나 세상 사람들의 말과 같이 '원숭이도 나무에서 떨어진다.'고 하는 속담은 진리이고 나 같은 건방지고 교만한 행동으로 잡혀 들어오게 된 처지를 말해준 것 같습니다. 저는 낚시꾼의 낚시 방법과 심리와 기술을 상당 기간 동안에 깊이 있게 연구하여 실천했습니다. 저의 나이가 우리 단치 세계에서는 가장 많은 것 같고 그 만큼 낚시꾼을 골탕 먹여 쫓아 보내고 우리 저수지의 이 넓은 마을에 살고 있는 어족들의 생명과 번영을 이끄는데 많은 공헌이라기보다는 최선을 다하여 우리들의 생명과 행복과 가족관계를 파괴하는 낚시꾼들을 골탕 먹이고 낚시터에서 일찍 집에 돌아가도록 쫓아낼 뿐 아니라 낚시를 그만 두게 하는 일과 낚시꾼들로 하여금 낚시에 취미를 잃게 하여 낚시에 손을 놓게 하거나 낚시를 포기하여 이곳으로 못하게 하고 저들로 하여금 소문을 내게 하여 우리 마을 저수지로 낚시를 오지 못하도록 하는 일에 내가 할 사명으로 알고 열심히 활동했었습니다." 단치는 목이 메인 양 말을 멈추고 물을 한참 뻐끔뻐끔 마시며 이야기를 멈추고 쉬고 있었다.

자기 죄에 자기가

지금껏 이야기만 듣고 있던 이장 붕어가 말을 꺼냈다. "단치 군이 말하는 것처럼 우리 저수지 마을에서 자네가 끼친 공은 모르는 어족이 없을 정도로 다 잘 알고 있고 모두가 자네의 수고와 헌신에 고마워하고 있다네. 그래서 자네가 잡혀 들어오는 것을 보고 우리는 너무 놀라고 실망하고 낙심되며 가슴이 아파서 아무 말도 못했다네. 너무나 안타까운 일이고 슬픈 일일세! 단치 군! 자네 하나의 소중함은 우리 마을의 어족 100을, 아니 1000을 주고도 바꿀 수 없는 존재였었네. 여기 잡혀서 바구니 속에 갇혀 있는 우리들뿐만 아니라 자네가 잡혀 갔다고 하는 소식을 들은 온 마을의 어족들이 슬퍼하고 있을 것일세. 너무나 가슴 아픈 일이고 온 마을이 엄청난 손실을 입은 것일세! 이제 자네같이 그처럼 영리하고도 전문적인 기술을 가졌는데도 어떻게 하여 잡혀 들어왔는지? 그 궁금함을 이야기 해주게!"

한동안 휴식을 취하며 울분을 새기던 단치가 다시 이야기를 시작하는 것이다.

"많은 우리 마을의 어족들이 배는 고픈데 잘못하면 잡혀갈까봐 겁은 먹고 제게 찾아와서 지금 새로 나온 기가 막히게 맛이 있는 냄새가 나는 그 값비싼 떡밥과 지렁이의 그 맛있는 고기를 떼어 주어서 굶주리고 쇠약해진 몸들을 살게 하여 달라고 간곡하게 사정을 하여 지금껏 우리 마을의 어족들의 건강과 생명을 책임지고 달려온 터라 많은 어족들을 이끌고 이곳저곳을 다니며 낚시꾼을 골탕 먹여 낚시 밥과 지렁이가 떨어지고 한 마리도 못 잡아서 낚시 가방을 챙겨서 집으로 보내고 조금 피곤하여 쉬고 싶었는데 또 다른 지역에 사는 어족들이 소식을 듣고 몰려와서 간곡히 사정하기에 데리고 온 곳이 이 낚시터였습니다. 제가 개발한 특수한 비법으로 떡밥을 떨어뜨리고 낚시 바늘에서 지렁이를 열심히 빼내어 저들을 배불리 먹이던 중이었습니다."

여기까지 이야기 하는 것을 듣고 저수지 마을의 수장되는 붕어가 말했다. "네가 연구한 그 특수한 기법으로 낚시꾼을 골탕 먹이고 우리 마을의 어족들을 배불린 그 기법을 이야기 하려무나!" 단치의 이야기가 계속 되었다.

"비법은 요령만 알고 조심성 있게 하면 아무나 할 수 있는 방법입니다. 먼저 떡밥은 낚시에 꿰어서 물에 던져 놓으면 풀어져서 조금만 건드리면 떨어지게 되어 있는 것입니다. 다만 이때에 그 맛있는 향기와 바닥에 떨어진 떡밥 부스러기를 맛보고 그 매력에 끌려서 조심성 없이 덥석 떡밥이나 지렁이를 물기 때문에 물 밖의 낚시찌를 움직여서 낚시꾼이 채내게 되어 잡혀가는 것입니다. 이때 서둘지 말고 감정을 안정시키고 빠른 동작으로 낚시 줄의 안전한 낚시 윗부분을 꼬리로 힘껏 치면 어지간한 떡밥은 떨어지는 것입니다. 그리고 낚시 줄의 찌가 움직이니까 낚시꾼은 고기가 걸린 줄 알고 힘껏 낚시 대를 잡아당기게 되어 떡밥은 그대로 바닥에 떨어지게 되어 주워 먹기만 하면 되는 것이지요. 낚시꾼은 계속 떡밥과 지렁이를 꿰어 던지고 우리는 계속 떼어 먹는 것입니다. 낚시에서 잘 안 떨어지는 떡밥은 자세히 살펴서 바늘 끝부분이 아닌 옆 부분을 낚시 아래나 옆에서 살짝 물어뜯으면 낚시꾼이 힘껏 낚시 대를 당기기 때문에 거의 떨어지게 되는 것입니다. 그리고 지렁이 미끼를 빼어 내는 데는 고도의 기술과 주의가 필요합니다. 먼저 말해 둘 것은 우리 어족들이 낚시에 꿰어 잡혀 올라가는데 결정적인 실수는 먹이 앞에서 한 번 더 냉철하게 생각해 볼 시간을 갖지 않는다고 하는 것과 너무 욕심을 부리고 서두르는 일이고 더 나아가서 그 낚시에 꿰인 떡밥이나 지렁이가 우리의 온갖 희망과 꿈을 송두리째 파괴하고 우리의 생명과 행복을 모조리 빼앗아 가는 독약 같은 존재라고 하는 사실을 전혀 생각지 않고 너무 서두르다가 잡혀가서 비극적인 매운탕의 재료가 되어 사람들의 식단에서 처절하게 우리의 일생이 사라진다고 하는 슬픈 사실입니다."

단치는 열변을 토하면서 분함과 슬픔에 북받쳐 하던 말

을 멈추고 두 눈에 흐르는 눈물을 훔치면서 잠시 안정을 취하고 말을 이어갔다.

"낚시꾼들이 낚시에 통 지렁이를 꿰는 것은 큰 물고기를 유인하여 잡아 가려고 하는 유인술 이고 투자인데 우리 어족들은 인심 좋은 낚시꾼의 소행인줄 알고 고맙게 생각하고 지렁이 고기 앞에서 그것이 낚시꾼의 낚시에 꿰였다고 하는 사실을 까마득하게 잊어버리고 덥석 물고 입속으로 빨아들이다가 낚시가 입속으로 들어갔다고 하는 사실도 까마득하게 잊고 모처럼 맛있는 통 지렁이 고기로 한가득 배를 채운 행복감과 기쁨에 젖어 기분 좋게 집으로 돌아가려고 돌이키는 순간 '아차, 아얏!' 그 날카로운 낚시 바늘이 입천장에 깊이 꽂혀서 몸부림을 치는 순간 몸이 부~웅 물 밖으로 끌어 올려가서 돌이킬 수 없는 실수로 돌아올 수 없는 비극적인 몸이 되어 버리는 것이 아니겠습니까?"

단치의 명 강사 다운 원칙적이면서도 감동적인 낚시꾼에게 잡혀가서는 안 된다고 하는 강연에 낚시 바구니 안의 고기들은 한 결 같이 울분하고 돌이킬 수 없는 슬픈 처지에 비탄에 잠겨 무거운 침묵이 흘렀다.

단치의 비극의 대처방법의 강연이 계속되었다. "통 지렁이는 서둘지만 말고 욕심만 부리지 않고 바로 내 앞에서 내 생명을 노리는 아주 위험한 장치가 있다고 하는 사실만 잊지 않으면 잡혀가지도 않고 고기는 실컷 먹기 싫도록 먹을 수 있습니다. 먼저 늘어진 지렁이의 두 부분 중 한 부분만 단단히 입에 물고 힘껏 끌어당기는 것입니다. 그러면 낚시꾼은 고기가 물었다고 힘껏 낚시 대를 잡아당기게 되고 이 과정에서 거의 지렁이 전부가 떨어지거나 반 토막은 자동적으로 떨어져서 입에 물은 지렁이로 배를 채워서 영양보충을 두둑하게 할 수 있게 되는 것입니다. 이때도 지렁이를 입 속 깊이 물었다가는 낚시에 꿰어 잡혀 갈 위험이 있으니 지렁이 끝 부분만 입에 단단히 물으면 되는 것입니다. 이렇게 몇 번 하다보면 고기는 실컷 먹어 먹기 싫어서 버려두고 가게 되고 이런 일이 계속되면 낚시꾼은 실망하고 짐을 싸고 집으로 돌아가게 되어 우리 마을의 어족들의 생명을 보호 하고 지킬 수가 있는 것입니다. 그리고 지렁이를 짧게 끊어서 한 쪽에는 떡밥과 함께 꿰는 경우는 빨리 달리면서 꼬리로 낚시 줄을 힘껏 쳐서 떨어뜨려서 배를 반쯤 채우고 나머지는 반찬 삼아서 짧게 꿰인 지렁이를 바늘 쪽은 절대 손대지 말고 지렁이가 꿰인 낚시 윗부분의 지렁이 끝을 아주 얇게 물고 아래쪽으로 빠르게 잡아 빼면 낚시 끝부분으로 지렁이가 밀려 나오게 되는 것입니다. 이 과정에서 절대로 욕심 부리거나 서두르지 말고 우리의 생명이 걸린 일인 만큼 아주 냉철하고도 조심성 있게 행동하지 않으면 생명을 잃게 됨을 잊어서는 안 됩니다.

낚시 바늘 끝으로 밀려 나온 지렁이를 얇게 그리고 꼭 물고서 잡아채면 낚시꾼은 고기가 잡힌 줄로 착각하여 낚시 대를 힘껏 잡아당기는 바람에 입에 물은 지렁이가 낚시 대에서 빠져서 한 입 가득 맛있는 별미를 즐길 수가 있는 것입니다. 그리고 옥수수는 큰 고기를 목표로 꿰이기 때문에 작은 어족에게는 해당이 되지 않으나 옥수수 한쪽만 단단히 물고 동작 빠르게 잡아당기면 옥수수는 아주 쉽게 빠집니다. 그러나 사람들이 말하는 성경에 있는 말처럼 '욕심이 잉태하면 죄를 낳고 죄가 장성하면 사망을 낳는다' 는 말이 있다고 합니다. 그 놈의 욕심에 눈이 어두워서 한번 맛본 그 맛에 정신을 잃고서 미끼 먹이를 덥석 무는 데서 한 많은 일생을 마치게 됨을 명심해야 하는 것입니다."

해박한 지식도

여기까지 이야기의 강연을 듣던 마을의 수장 붕어가 감동어린 눈으로 그러나 절망적인 눈으로 강사인 단치에게 말했다. "자네의 그 해박한 지식과 연구의 결과를 수도 없이 강연을 해서 그 말을 깊이 있게 들은 우리 마을의 많은 어족들이 생명을 유지하며 배불리 먹고 튼튼하게 살고 있음을 부정 할 자가 누가 있겠는가? 우리 마을 대표들이 자네에게 공로패를 주자고 했었는데 이제 자네도 잡히고 우리 몇 대표까지 잡혔으니 모든 것이 헛된 꿈이 되고 말았지. 이제 그렇게 훌륭한 존경받을 만한 자네가 없는 우리 마을은 슬픔에 잠겨 있을 것이고 위험에 처하게 되었구나! 그런데 자네가 잡혀서 이곳에 들어오게 된 사유나 궁금하니 이야기 해 주게나!"

단치 강사는 정신적으로 몸으로 지쳐서 이제 말할 기분이 아니지만 수장 어른의 부탁이므로 마지못해 깊은 한숨을 쉬고서는 힘없이 이야기를 시작하는 것이다.

"성경에 이런 말이 있다고 합니다. '교만은 패망의 선봉이요 넘어짐의 앞잡이다' 내가 낚시꾼에 대하여 전문적으로 연구했고 실천했고 강의했기 때문에 그까짓 낚시꾼에게는 절대로 잡혀가지 않을 것임을 확신하고 우리보다 비할 수 없는 인간들을 얕잡아 본 것이 오늘의 슬픈 운명에 처하게 된 것입니다. 저는 낚시꾼이 드리운 낚시에 꿰인 밑밥들을 빼먹는 데에는 전혀 위험을 느껴 본 일이 없을 만큼 완벽하게 행동하며 살아왔습니다.

오늘도 여러 곳의 낚시터에서 많은 우리 마을의 어족들을 배불리 먹이고 마지막이 된 낚시에서 먼저 떡밥을 떨어뜨려 시장기를 해결하고 지렁이를 빼어 배불리고 맘 놓고 다른 곳으로 이동하고 있는데 난데없이 옆에 있던 빈 낚시를 건드리지도 않았는데 고기가 오래도록 건드리지도 않으니까 밑밥을 다시 끼우려고 낚시 대를 들어 올리던 참이었나 봅니다. 갑자기 아랫배에 따끔 하는 감각이 오길래

'내가 먹은 것이 탈이 났나?' 생각하고 집에 가서 안정을 취하고 싶어서 앞으로 나가려고 하는데 저항 할 수 없는 힘에 이끌려서 물 밖으로 끌려 나오는가 싶더니 공중에 부~웅 뜨는 것이 아니겠습니까? 나는 아차 내가 낚시에 꿰였구나! 생각하고 있는 힘을 다하여 빠져 나가려고 몸부림쳐 보았지만 낚시 끝이 더욱 깊이 박혀서 꼼짝 못하고 잡혀 오게 되었습니다. 제가 그 교만한 마음 버리고 주위를 좀 더 깊이 있게 살펴서 행동하고 옆에 드리운 낚시 줄을 살펴서 그 낚시 줄 가까이 가지 말았어야 하는데 되지 못하게 낚시꾼들을 우습게 여기고 무시하고 자만했던 마음이 행동으로 옮겨져서 부끄럽고도 분하고 절망적인 신세가 되고 만 것입니다. 이것은 저의 생명의 날이 다하여 끝이 나게 된 시간이 온 것입니다."

　　단지 강사의 긴 이야기를 듣고서 그 누구도 할 말을 잊었고 한동안 고기 바구니 안에는 너무도 적막한 정적이 흐르게 되었다. 그런데 아침부터 끊임없이 고기바구니 바닥에 쭈그리고 앉아서 슬피 우는 아주머니 붕어가 있었다.

너무나도 애통해 하는 붕어 아주머니가 딱해서 이장 붕어가 물었다. "여보시오. 이곳에 붙잡혀 와서 갇힌 우리 어족들이 다 슬픈 사연이 있겠지만 그토록 끊임없이 통곡하며 우는 특별한 사연을 들어 봅시다."

이장 붕어답게 마을의 어족들을 염려하고 같이 걱정해 주며 슬퍼하고 위로해 주던 그 성격을 잘 알고 있는 아주머니 붕어는 그칠 줄 모르는 슬픔의 울음을 간신히 억제하고 힘없는 목소리로 이야기를 시작했다.

붕어의 순애보

"저로 인하여 염려를 끼쳐드려서 참으로 죄송합니다. 제가 임신한 것은 우리 마을 어족들이 다 잘 알고 있는 사실이지요. 저는 참으로 저를 진심으로 사랑해주고 아껴주고 보살펴주는 남편이 있다는 것도 아시고 우리 마을의 어족들이 부러워하고 칭찬해 주며 우리 부부를 잉꼬 부부라고 불러 주고 있잖아요. 저는 그런 자상하고 희생적이고 나를 자기 생명같이 사랑하는 제 남편과 부러울 것이 없이 살아 왔습니다. 그런데 임신하고 보니 무엇이 그리 먹고 싶은 것이 많은지 모르겠습니다. 제 남편은 제가 먹고 싶은 것이 있다고 하면 힘든 줄도 모르고 생명 걸고 구해다가 먹여서 제 배속의 씨들이 튼튼하게 잘 자라고 있습니다. 그런데 오늘 아침에는 어쩌면 그토록 고기가 먹고 싶어서 제 남편에게 이야기 했더니 남편은 그 말을 듣고 힘든 줄도 모르고 즐거운 모습으로 집을 나섰습니다.

나는 내 남편의 그 고마운 마음과 행동에 너무 행복해 하면서 조심해서 빨리 돌아오라고 부탁한 것이 제 남편에게 마지막으로 남긴 인사인줄 어떻게 알았겠습니까? 나는 남편이 큰 지렁이 고기를 한입 가득히 물고 기쁨으로 돌아오기를 기다리고 있는데 난데없이 한 붕어 어족이 와서 당신 남편이 낚시꾼의 낚시에 꿰어 잡혀 가는 것을 본 한 어족이 전하더라고 하며 청천벽력 같은 슬픈 소식을 전하는 것이 아니겠습니까? 나는 앞이 캄캄하고 절망 중에 남편이 마지막 떠난 방향으로 정신없이 달려가서 사랑하는 남편을 울면서 목이 터지게 부르며 헤 메이고 있는데 만나는 어족마다 내 사랑하는 남편의 소식을 물었으나 돌아온 대답은 못 보았다는 말과 낚시꾼에게 잡혀 갔다고 하는 말 뿐이었습니다. 나는 정말이지 남편 없는 세상은 살 수 없는 몸입니다. 더구나 태어날 그 많은 새끼들을 저 혼자서 어떻게 기를 수가 있습니까?

저는 다시 말하지만 제게는 생명과도 바꿀 수 없는 제 남편이 잡혔다면 마지막으로 만나서 서로 실컷 통곡하고 같이 죽어야 합니다. 그래서 여러 곳에 수소문 해 보았더니 이곳의 낚시꾼에게 잡혀간 것 같다고 하여 마지막으로 남편을 만나고 싶어서 이곳 낚시꾼이 던져 놓은 떡밥을 한 입 가득 물고 흔들었더니 낚시꾼이 낚시 대를 힘차게 잡아당겨서 억지로 내 사랑하는 남편이 보고 싶어서 잡혀 와서 이곳 낚시꾼의 고기 바구니에 들어왔습니다. 남편이 보고 싶고 만나고 싶어서 바구니 속을 샅샅이 뒤집고 돌아 다녀도 내 사랑하는 남편은 없잖아요. 그래서 내 남편이 이곳에 오지 않았느냐? 고 물었더니 오지 않았다고 들 말하는 거예요. 나는 어쩌면 좋겠어요. 우리 남편은 다른 낚시꾼에게 잡힌 거예요. 오직 남편과 함께 죽고 싶었는데 남편은 남편대로 나는 나대로 죽게 되었답니다. 엉엉! 내 사랑하는 여보!!"

아주머니 붕어의 순애보 같은 슬픈 이야기를 듣고는 온 바구니 속의 어족들이 아주머니 붕어를 둘러싸고 어루만지며 한동안 몸부림치며 통곡이 계속되었다.

이장 붕어가 목 메인 소리로 위로한다. "정말 우리 저수지의 넓은 마을을 대표하는 잉꼬 부부로 소문난 가족의 슬픈 운명은, 남편은 아내를 위하여, 아내는 남편과 같이 죽고 싶어서 택한 그 눈물 겹 고도 무엇으로 표현 못할 비극으로 여생을 앞당겨 마치게 되었군요. 이 마을의 이장된 내가 좀 더 열심히 부지런히 계몽을 했더라면 이런 비극은 일어나지 않았을 텐데. 다 이 부덕한 이장된 내 탓입니다. 이를 어쩌면 좋겠어요?

이 말을 들은 수장 붕어가 말했다. "여보게! 자네처럼 우리 저수지 마을의 어족들의 생명과 안전과 행복을 위하여 애쓴 이가 자네 외에 어디에 또 있던가? 나이 많은 내가 늙었다고 하는 핑계로 부지런히 돌보지 못한 못난 소행으로 우리 마을에 이런 비극이 일어나고 있는 것일세. 나는 살 만큼 살았으니 언제 죽어도 죽을 몸, 좀 일찍 죽는 것이 아쉽네 마는 명색이 수장이라는 주제에 우리 마을의 그 슬픈 비극을 막지 못한 죄책을 무엇이라 말하겠는가?"라고 말하며 땅을 치며 "꺼이, 꺼이!" 하고 슬피 우는 것이다. 얼마 간의 시간이 지나면서 분위기는 좀 진정 되는 것 같았다.

이때에 한쪽에서 내일 웅변대회에 나갈 웅변 원고를 종알종알 외우던 어린 붕어가 다가와서 부탁 하는 것이다. "이장님, 죄송하지만 우리 엄마나 선생님을 만나거든 내일 웅변대회에 제가 아무래도 못나갈 것 같다고 전해 주세요. 배가 너무 고파요. 온 종일 아무것도 먹지 못해서 힘이 너무 없고 정신이 자꾸만 흐려지는 것 같아요. 웅변 원고가 자꾸 잊혀지고 기억이 잘 나지 않아서 내일 아무래도 나갈 수 없을 것 같아요. 이장님 꼭 우리 엄마나 선생님께 전해 주셔야 해요!"

어린 붕어의 철없는 생각에서 나오는 부탁을 들은 이장 붕어의 눈에서는 하염없는 눈물이 흘러 내렸다. "철없는 불쌍한 것, 오늘 밤에 낚시꾼의 매운탕 감으로 죽을 것도 모르고 내일 일을 부탁하는 어린 붕어가 한없이 불쌍해서 어쩌나!" 무슨 말로 저 철없는 어린 붕어를 위로하고 안심시켜야 할지 답답하기만 했다. "애야, 어렵지만 힘내라! 정신을 잃으면 안 된다. 내일 문제는 염려 하지 않아도 잘 될 거다. 내가 할 수 있는대로 네 부탁을 실천해 보겠다." 말은 했지만 슬픔이 북받쳐서 다른 곳으로 피하여 소리 없이 울었다.

모두가 이유 있는 모습

이때에 건장한 젊은 붕어가 낚시에 걸려서 잡혀 들어왔다. 고기 바구니에 들어 온 젊은 붕어는 들어오자마자 이리 뛰고 저리 뛰면서 "아이고 이 멍청아! 멍청아! 죽어야 싸지 이 멍청아!"라고 소리소리 지르며 다른 어족은 생각하지 않고 혼자만이 당한 절망인양 다른 어족들과 부딪치면서 바구니의 그물 벽에 머리를 쥐어박으며 통곡하는 것이다.

보다 못한 수장 붕어가 소리쳐 나무랐다. "이 녀석아, 너만 잡혀 온 줄로 생각하느냐? 여기 갇혀 있는 우리 마을의 어족들이 너만큼 절망과 슬픔을 당하지 않아서 가만히 있는 줄 아느냐? 좀 조용하고 염전히 앉아서먼저 잡혀 들어온 우리 마을의 어족들을 위로해야 할 것이 아니냐? 정신 좀 차려라!"

수장 붕어의 책망을 들은 젊은 붕어는 눈물을 훔치면서 말했다. "저는요 너무 순진하고 마음이 약하고 멍청해서 잡혀 들어왔습니다. 오늘 열심히 일하고 좀 쉬려고 밖에 나왔더니 지금껏 한 번도 맡아 본 일이 없는 향기가 풍겨 오는 것이 아니겠어요? 그래서 대체 어디서 어떤 꽃이 피어서 향기를 날리는가? 하고 생각하며 향기가 나는 곳으로 조심스럽게 찾아갔습니다. 그랬더니 그 곳에 꽃이 핀 것이 아니고 낚시꾼이 드리운 낚시에 꿰인 떡밥에서 그 미치도록 황홀한 향기가 풍겨 오는 것이 아니겠어요? 그렇지만 여기에 갇혀있는 저 유명한 단치 강사의 명 강의와 우리 마을의 생명을 지키기 위한 그 고마운 헌신적인 애정 어린 강의를 되새기며 저렇게 하여 우리를 유혹하여 잡아

가는 낚시꾼은 참 나쁘다고 행각하고 그 가까이 가지 아니하고 멀찍이 바라보고 있노라니 그 기가 막힌 맛있는 냄새에 마음이 자꾸만 유혹에 차오르는 것이었어요. 그러나 저낚시꾼이 간교한 속임수에 넘어가지 않으리라고 굳게 마음먹고 떨어지지 않는 발걸음을 옮기려고 하는데 새끼 붕어 두 마리가 간들간들 헤엄쳐 오더니 "아저씨 안녕하세요?" 왜 가시려고 그러세요? 오늘 이곳에서 낚시하는 낚시꾼은 마음이 좋은 분이라서 낚시에 물렸어도 다시 놓아주는 사람이예요. 우리 둘은 두 번 잡혔다가 돌아 온 걸요? 아저씨 여기 계시면 저희들이 그 맛있는 떡밥을 따올게요! 이렇게 말하고는 겁도 없이 낚시에 꿰인 떡밥에 달려가서 작은 입으로 한입을 물어뜯으니까 떡밥은 통째로 떨어지고 낚시는 빈 낚시로 끌어 올려가더니 또 미끼를 꿰어 강물에 드리워지는 것이었어요. 두 새끼 붕어는 장난을 치면서 계속 따먹는 거예요. 어린 아이들한테서 그 맛있는 떡밥을 얻어먹어 보니 정말 향기롭고 맛이 있어 배불리 먹고 싶은 욕심이 생겼지만 잘못하면 생명을 잃게 된다고 하는 사실이 떠올라서 모든 유혹과 미련을 버리고 돌아가려고

자연 다큐 소설 • 낚시 바구니 속의 비탄

하는데 아이들이 또 부르는 거예요. "아저씨. 이 낚시꾼은 다른 낚시꾼과 달리 마음이 착한 사람인 것을 보여 줄게요?"라고 말하고 한 녀석이 낚시 밥 옆으로 가까이 가 길래 제가 겁이 나서 말렸으나 새끼 붕어는 겁도 없이 그 작은 입으로 낚시 밥을 꽉 무는 순간 낚시에 꿰어서 붕~ 하고 물 밖으로 끌려올라 가더군요. 저는 깜짝 놀라 "얘야! 어떻게 하려는 거니?"라고 외치며 펄쩍펄쩍 뛰는데 나머지 한 녀석이 아무런 걱정도 없이 말하더군요. "아저씨 아무 걱정 마세요, 조금 있으면 돌아와요!"라고요.

아니나 다를까 조금 있으니 바로 툼벙 소리가 나더니 그 새끼 붕어가 돌아왔습니다. "헤헤헤! 이것 봐요. 이 낚시꾼은 참으로 착해서 저를 벌써 세 번째 놓아 주는 거예요. 이제 배불리 바닥에 떨어진 떡밥과 지렁이를 주어먹고 가서 또 재미있게 놀다 올 거예요!"라고 말하며 바닥에 그간 떨어뜨린 먹이를 주워 먹으면서 같이 먹자고 불렀습니다.저는 새끼 붕어들이 기특하고 고마워서 배고픔은 면 하였습니다. 어린 녀석들이 놀다 온다면서 그 자리에서 떠나고 이제 혼자 남게 되었습니다. 드리워진 낚시에는 한편에는 맛있는 떡밥이 또 한편에는 맛있는 지렁이 고기가 꿰어 있었습니다. 이해할 수 없는 일을 당하여 갈등이 일기 시작했습니다. 이제 바닥에 떨어진 미끼도 다 먹어 버렸습니다. 저는 다시 생각하다 "정말 이 낚시꾼은 마음이 착한 사람이어서 낚시에 걸렸어도 놓아 주는 것일까? 아니면 어떤 꿍꿍이 속이 있어서 일까" 생각하며 낚시 주위를 천천히 맴 돌면서 생각하다 낚시꾼의 목적은 고기를 잡는 것이지, 그러니 모든 미련을 버리고 돌아가자고 생각하고 돌이키는데 떡밥의 참기 어려운 향기와 기가 막히게 맛이 있는 미련이 발걸음을 멈추게 했습니다. 그러다 그 미련을 버릴 수가 없어서 한번 모험을 하기로 작정했답니다.

　재수 좋게 떡밥만 떨어지면 맛있게 먹고 돌아가고 만일 잡혀가면 여기까지 생각하니 겁이 바짝 났습니다. 그런데 어린 새끼 붕어가 살아서 돌아오는 것을 보았으니 한 번 실험해 보려고 떡밥 가까이 가서 슬그머니 입에 물고 떼어 먹으려고 하는데 낚시꾼이 힘차게 낚시 대를 채는 바람에 낚시가 입술 깊이 끼어져 잡혀 오게 된 것입니다. 거렌데 낚시에서 빼더니 강물에 던지는 것이 아니라 이 고기 바구니에 던져 넣어서 이 꼴이 되었답니다." 하고는 머리를 바구니 그물 벽에 있는 힘을 다하여 부딪치며 또다시 통곡을 하는 것이다.

이 말을 듣고 있던 수장 붕어가 말했다. "이 녀석아! 철부지 어린 것들의 말을 왜 믿었던 거냐? 낚시꾼이 그 어린 새끼 붕어를 무엇 하려고 잡아 가겠느냐? 조금 자라면 잡아가려고 다시 넣어준 것인데 철없는 어린 것들이 그런 사실을 알 수 있었겠느냐? 너는 다 자란 붕어니까 그런 미봉책은 분간 할 줄 알아야했지. 그걸 분간 못하고 생명은 둘이 아닌 하나밖에 없는 것인데 그 고귀한 생명을 걸고 모험을 했으니 잡혀들지 않겠느냐? 쯧쯧쯧."

절망의 시간 속에서

시간이 지나니까 절망이 가까워 옴을 느낀 바구니 안의 어족들이 울면서 이리 뛰고 저리 뛰기를 한동안 계속하더니 힘도 없고 풀이 죽어서 조용해졌다. 이때에 얼굴이 아주 못생긴 중년 붕어가 잡혀 들어왔다. 자세히 보니 이 중년 붕어는 아랫입술도 없고 윗입술도 없어서 다른 붕어와 비교를 해 보니 정말 얼굴이 말도 못하게 못생긴 붕어였다. 무엇이라고 탄식하면서 한동안 뛰더니 모든 것을 포기했는지 체념하고 한쪽으로 고개를 돌리고 조용히 앉아 있는 것이다. 이때 이장 붕어가 가까이 가서 말을 건넸다. "자네의 얼굴은 왜 그 모양인가? 어쩌다가 그렇게 되었는가?"

이장 붕어의 물음에 이 중년 붕어는 대답했다. 말이 분명치 않았다. 그 말을 추려 보면 어느 날 너무나도 배가 고파서 헤매는데 구세주 같은 먹이가 강바닥에 널려 있기에 낚시꾼이 흘린 것이려니 생각하고 한 입을 물고 먹어보니 정말 맛이 있고 향기로운 먹이여서 한참 주워 먹고 있는데 이제는 굵직한 먹이와 지렁이 고기가 내려오게 되었고 꼭 하늘에서 내린 만나 같은 기분이 들어서 그것이 낚시꾼의 미끼라는 생각은 까마득하게 잊고서 덥석 물어 삼키려고 하는 순간 낚시꾼이 힘차게 낚시 대를 채가는 바람에 낚시에 꿰어 위로 올라가고 있는데 주위를 살펴보니 마침 물풀 줄기가 몇 가닥이 물 위로 뻗어 올라가 있으므로 있는 힘을 다하여 그 풀 넝쿨에 낚시 줄을 휘감았단다. 낚시꾼이 큰 고기가 잡혔다고 좋아하여 낚시 줄을 잡아당기는 바람에 물풀에 휘감긴 낚시 줄 덕택에 윗입술이 떨어져 나간 채 살아서 도망칠 수가 있었단다. 윗 입술이 떨어져나간 고통은 컸지만 시간이 흐르면서 치료가 되었고 이때 먹었던 떡밥에 대한 미련과 먹고 싶은 욕망은 견딜 수가 없었단다. 그는 잘못하면 생명을 잃게 된다고 하는 두려움도 있었지만 자기는 힘이 장사라고 하는 말을 듣는 편이어서 혹시 물리더라도 먼저 번때처럼 재빨리 물린 낚시 줄을 끌고 가서 물풀 줄기에 감으면 죽음의 위험은 면할 수가 있겠다고 하는 자신감이 생겼단다.

그래서 저수지 곳곳의 낚시터를 배회하면서 먼저 번과 같은 떡밥 미끼를 끼우고 낚시하는 낚시꾼을 한참을 찾았는데 드디어 그때의 그 향기 그 맛의 미끼 떡밥을 찾게 되었고 바닥에 떨어진 떡밥을 주워 먹다 보니 그 떡밥에 완전히 매료되어 그 자리를 뜰 수가 없었고 낚시 바늘에 끼운 큼직한 떡밥을 먹지 않고는 못 살 것 같은 강한 유혹에 빠져들어 큼직한 떡밥을 살짝 물어뜯었는데 낚시에서 그 떡밥이 반쯤이나 떨어져 나와 맛있게 먹고는 나머지마저도 다 따먹고 싶어 낚시 바늘에 꿰어져 있다는 사실은 까마득하게 잊은 채 입에 물었다가 아랫입술에 그만 낚시가 꽂히고 만 것이라는 것이다. 아차 하고 정신이 나서 지난번과 같이 조금 떨어진 곳에 튼튼한 물풀 줄기를 발견하고 있는 힘을 다하여 낚시 줄을 끌고 물풀 대를 휘감는 데에 성공했고 낚시꾼은 낚시에 물린 붕어를 잡으려 온갖 애를 써 보았지만 워낙 단단히 풀대에 감겨 결국 붕어의 아랫입술이 떨어져 나가게 되었고 이처럼 괴물같이 되어 버렸다는 것이다. 조금 힘들고 전과 같지는 않았으나 살아가는 데에는 그런대로 어려움이 없었다고 한다.

그는 다시는 낚시 밥을 따먹지 않겠다고 얼마나 다짐했는지 모른다. 왜냐하면 떨어진 아랫입술 부위가 심각해 맘대로 음식을 먹을 수 없어 그 왕성한 식욕과 체격이 많이 야위어졌고 그럴수록 두 번에 걸쳐서 윗입술과 아랫입술이 떨어져 나가는 아픔과 장애붕어가 되었음에도 세상 사람들이 한 번 빠지면 쉽게 청산하지 못하는 마약이나 도박 같이 정말 그 입술을 완전히 떨어져 나가면서 맛을 본 그 떡밥의 매력은 떨쳐 버릴 수가 없었다고 한다. 그래서 그는 또 무슨 마력에 끌린 듯이 낚시터를 배회하다가 이 자리까지 왔는데 두 입술을 잃으면서까지 먹어야 했던 그 떡밥을 수 없이 망설이다가 물어뜯은 것이다. 그러나 윗입술이나 아랫입술이 없으므로 입 속으로 빨아 들여서 삼킨 것이다. 그리고 낚시에 꿰어 잡혀가는데 또 물풀 줄기를 찾아 달려가서 단단히 감았는데 낚시 바늘이 입속 깊이 끼었으므로 풀대가 끊어지고도 입속에 꿰인 낚시 바늘 때문에 고통을 느끼며 잡혀 왔다고 한다.

여기까지 그의 이야기가 마치는 것을 보고 단치 강사가 말했다. "아저씨, 제가 낚시꾼에게 잡혀 가지 않는 비결을 강의 할 때 들었을 것 같은데 잊었던 말입니까? 내가 강의료를 받았습니까? 어떤 보상을 구했습니까? 다만 우리 마을의 어족들의 생명과 행복을 위해서 그렇게 애썼건만 이렇게 벌써 세 번째 낚시 밥을 물었다가 잡혀 들어오면 어떻게 합니까? 정말 대 실망이고 나의 그 애정 어린 열정의 수고가 헛것이 되었음을 보면서 내가 한 일에 대하여 환멸을 느낍니다."

그 못난 붕어가 말을 더듬거리며 대답했다. "단치 강사의 강의 내용은 정말 명 강의였고 꼭…실천했어…야 하는 내…용이었지. 그러나 우리…의 약점이 기억력이 30초…라던가? 그리고 먹고 싶을…때 먹고 싶은 충…동은 어찌할 수 없고 강사..의 강의를 다 잊어…버리고 말…았다네! 참…미안…허이. 그러니까 나는…잡혀 죽어야…마땅해." 하고 말하면서 한없이 후회와 비탄의 눈물을 흘리고 앉아 있는 것이다.

벌써 해가 넘어가고 있었다. 이 사실을 발견하고는 고기망 속에는 이곳저곳에서 흐느끼며 슬픔을 참지 못하여 길길이 뛰고 달리면서 통곡하여 소란이 일어났다.

이때까지 웅변원고를 힘없이 더듬거리며 외우던 학생 붕어가 수장 되는 붕어에게 다가가서 물었다. "아저씨, 왜 이렇게 소란을 피우는 거예요?" 수장 붕어가 대답했다.

"얘야, 해가 저물어 가지 않니?" 어린 학생 붕어는 도저히 이해가 되지 않았다. "아저씨, 해는 언제든 기울지 않나요? 날마다 이맘때면 해가 넘어가잖아요?"

수장 붕어가 대답했다. "이 녀석아, 다른 날의 넘어가는 해와 오늘의 넘어가는 해와는 근본적으로 다르니까 그런 거다. 해가 넘어가면 우리는 낚시꾼에게 이 고기 망이 들리 워서 매운탕 재료로 쓰이기 위해서 우리는 다 죽게 되니까 그런단다."

어린 학생은 이해가 안 된다. "아니, 우리가 왜 죽어요? 죽어야 할 만한 잘못한 일이 있나요?" 수장 붕어가 딱하다는 듯이 대답했다. "너는 너무 어려서 아무것도 모르는 철부지여서 그런다. 우리가 낚시꾼의 낚시 자리에 오지 않았더라면 그리고 우리를 잡아 가려고 드리운 낚시 밥을 물지 않았더라면 죽을 일이 어디 있었겠니? 낚시꾼의 유인 술에 마법에 끌리듯 걸려 들어서 죽게 되었단다. 애야! 어린 네가 죽게 된 것이 너무 가슴이 아프구나!" 수장 붕어는 굵은 눈물을 방울방울 떨어뜨리며 가슴 아파하고 우는 것이다.

낚시꾼이 이제는 집에 가려고 드리운 낚시 대를 다 정리하고는 낚시 바구니를 건져서 몇 번 물에 훌렁거리며 씻더니 커다란 비닐봉지에 고기 바구니 채 담는 것이다. 이제는 몸도 맘대로 움직 일수도 없게 되었다. 잡혀서 바구니에 담겨서 비닐봉지에 담긴 붕어와 단치들은 몸부림을 치면서 울부짖었다. 특별히 성질 급한 단치들은 있는 힘을 다하여 몸을 움직이다가 힘이 빠져서 가장 먼저 하나 둘씩 숨을 멈췄다.

낚시꾼은 자전거를 타고 간다. 고기 망이 비닐봉지에 담겨져서 공기가 차단되어 숨쉬기조차 너무 힘이 들었다. 이제 통곡할 힘조차 없어졌다. 비닐봉지 안에는 가쁜 숨을 몰아쉬는 소리, 펄쩍펄쩍 뛰는 소리 그리고 흐느껴 우는 소리가 점점 작아지는 것이다. 수장 붕어위에 얹힌 어린 학생 붕어가 수장 붕어를 힘없이 불렀다.

"아저씨, 우리…엄마나 선생님을 만…나거든 내일 웅변 대…회에 못…나간다고 꼬…옥 전해…주세요. 웅변 원…고를 다 잊어…버렸어요. 부탁해요. 엄…마 나 배고파… 숨…을 쉴…수가 없…어! 그…리고 자…꾸…만 잠…이 와서 못 견…디겠어. 엄마 보…고 싶어! 냠, 냠."

　어린 학생 붕어는 이렇게 조용히 숨을 거두었다. 수장 붕어가 숨을 헐떡거리며 말했다. "우리는 살만큼 살았으니 이제 죽어도 덜 억울하지만 저 어린 것을 잡아서 무엇을 먹겠다고 잡아 가는지. 참 잔인한 인생들이야!" 목이 메어 말을 마치고 숨을 거둔 어린 학생 붕어를 애처로운 듯 어루만지며 두 눈에서는 굵은 눈물이 흐르고 힘 빠진 몸을 두어 번 뒤척거리더니 긴 한숨을 내 쉬고는 이내 아무런 소리도 움직임도 없었다. 비닐봉지 안에는 죽음의 적막만 끝없이 감돌았다.

〈끝〉

「봄비의 책」 4

낚시 바구니 속의 비탄

자연 다큐 소설

■

초판 1쇄 인쇄 / 2022년 7월 10일
초판 1쇄 발행 / 2022년 7월 15일

■

지 은 이 ㅣ 김 봉 철
원고·정리 ㅣ 유관상 · 김혜진
펴 낸 이 ㅣ 민 병 문
펴 낸 곳 ㅣ 새한기획 출판부

■

주 소 ㅣ 04542 서울특별시 중구 수표로 67 천수빌딩 1106호
T E L ㅣ (02) 2274 - 7809 / 070 - 4224 - 0090
F A X ㅣ (02) 2279 - 0090
E-mail ㅣ saehan21@chol.com

■

출판등록번호 ㅣ 제 2 - 1264호
출판등록일 ㅣ 1991. 10. 21

값 8,000원

ISBN 979 - 11 - 88521 - 59 - 3   03800

Printed in Korea